Made in the USA
San Bernardino, CA
16 April 2018

چه خوب می نویسم !

(کتاب یادگیری الفبا و نگارش فارسی برای کودکان)

I Know How To Write In Persian !

A Children's Workbook
For Learning The Persian Alphabet & Script

Nazanin Mirsadeghi

Bahar Books

www.baharbooks.com

Mirsadeghi, Nazanin
     I Know How To Write In Persian! (A Children's Workbook For Learning The Persian Alphabet & Script)
     (Persian/Farsi Edition)- Nazanin Mirsadeghi

Illustrations: Sara Fardhesari

ISBN 13: 978-1-939099-56-3
ISBN 10: 1939099560

Published by Bahar Books, White Plains, New York

پیشگفتار

کتابی که پیش روی شماست، دربرگیرنده ی آموزش گام به گام حروف الفبای فارسی به کودکان است. این کتاب برای آن دسته از کودکان طرح ریزی شده است که زبان فارسی را به عنوان زبان دوم می آموزند. ترتیب آموزش حروف الفبای فارسی در این کتاب مطابق با ترتیب آموزش این حروف در کتاب رسمی آموزش زبان فارسی : « فارسی اول دبستان (بنویسیم!) » است؛ به همین دلیل، اگرچه این کتاب به تنهایی شامل تمام مراحل و مطالب مورد نیاز برای آموختن الفبا و نگارش فارسی ست، کودکان می توانند از این کتاب به شکل کتاب کمک درسی هم استفاده کنند.

تمامی کلمات فارسی به کار گرفته شده در این کتاب با ترجمه ی انگلیسی آنها همراهند و هر کلمه ی فارسی آوانگاری نیز شده است. لازم به تذکرست که آوانگاری کلمات فارسی در این کتاب بیشتر به قصد راهنمایی پدران و مادران انگلیسی زبانی انجام شده است، که مایلند کودکان خود را در مراحل مختلف یادگیری همراهی کنند.

حروف الفبای فارسی در این کتاب به ۱۶ بخش یا درس تقسیم شده است که هر بخش شامل دو تا چهار حرف است. در هر بخش کودکان پس از آموختن نحوه ی نگارش حرف ها، نگارش چندین کلمه که با این حروف ساخته شده اند را یاد خواهند گرفت؛ و پس از آن، بازی ها و جدول ها به کودکان کمک خواهند کرد تا حرف ها و کلمات تازه ای را که آموخته اند، بیشتر تمرین کنند.

با به پایان رساندن درس ها و انجام تمرینات بخش های این کتاب، کودکان قادر به تشخیص و نوشتن تمام حروف الفبای فارسی خواهند بود. همچنین، به خاطر آشنا شدن با بیش از ۴۰۰ کلمه ی فارسی می توانند تعداد زیادی از این کلمات را بخوانند و بنویسند و در جملات ساده ی فارسی به کار ببرند.

Introduction

This book has been designed for those students of Iranian heritage that are learning Persian as a second language. The book contains the complete set of lessons needed to learn the Persian alphabet and to write in the Persian script. The sequence of the letters taught is the same as that of the textbook *"Elementary Persian Language, First Grade: (Benevisim!)"*.

Although, this book on its own contains all the necessary material to learn the Persian alphabet and script; it could also be used as a supplement to any other related textbook.

All the Persian words used in this book are accompanied by their English translations. The author also has provided the transliteration of all the Persian words as a guide for English speaking parents who are working on their children's Persian skills.

This book consists of 16 lessons. Each lesson introduces two to four Persian letters to the students, and then introduces several words constructed with those letters. Puzzles and games then provide the students the opportunity to practice the letters and words learned in the lesson.

By completing this book, students would be able to identify and write all the Persian letters and would be exposed to more than 400 Persian words. They would be able to write and read many words and simple sentences in Persian, upon completing the lessons covered in this book.

چه خوب می نویسم !

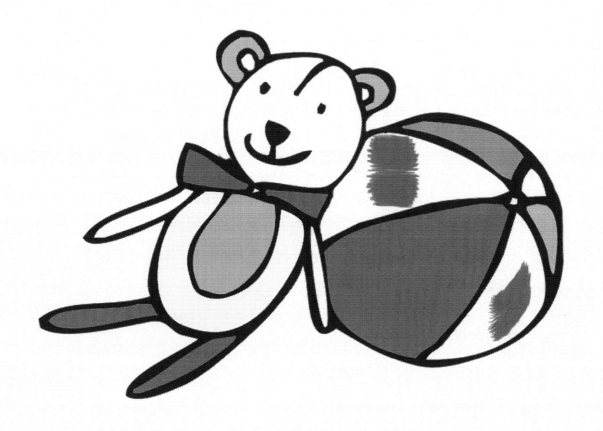

I Know How To Write In Persian!

LESSON 1

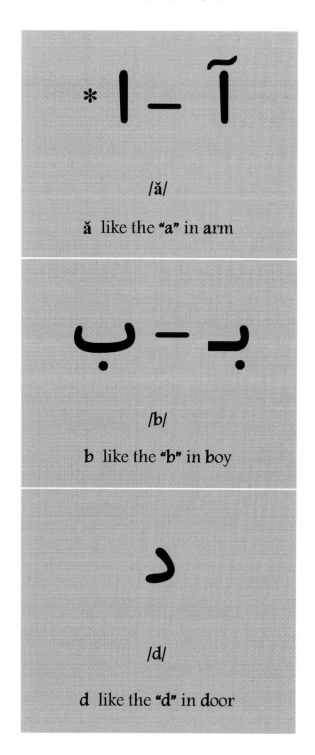

* ا – آ

/ă/

ă like the **"a"** in **a**rm

ب – بـ

/b/

b like the **"b"** in **b**oy

د

/d/

d like the **"d"** in **d**oor

* a letter and a long vowel

حرف زیر را پُررنگ کن و بعد از روی آن چندین بار بنویس.

Trace this letter first, then practice writing it by yourself.

آ - ا

آ آ آ آ آ آ آ آ آ

ا ا ا ا ا ا ا ا ا

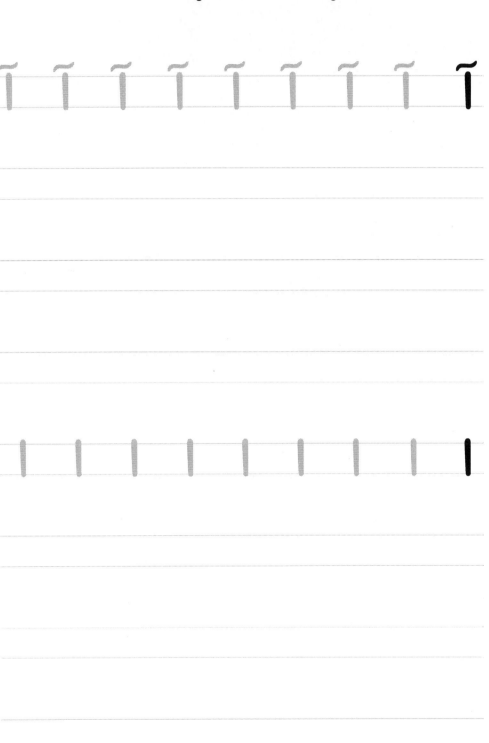

حرف زیر را پُررنگ کن و بعد از روی آن چندین بار بنویس.

Trace this letter first, then practice writing it by yourself.

بـ – ب

بـ بـ بـ بـ بـ بـ بـ بـ

ب ب ب ب ب ب ب

حرف زیر را پُررنگ کن و بعد از روی آن چندین بار بنویس.

Trace this letter first, then practice writing it by yourself.

د

د د د د د د د د د

کلمه ی زیر را پُررنگ کن و بعد از روی آن چندین بار بنویس.

Trace this word first, then practice writing it by yourself.

آب

/ăb/

WATER

آب آب آب آب آب

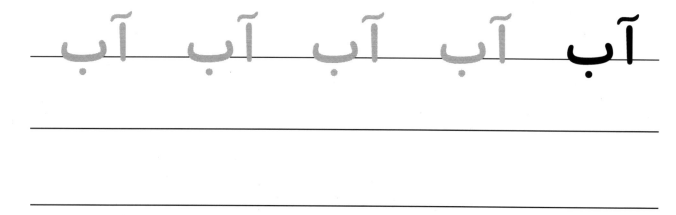

کلمه ی زیر را پُررنگ کن و بعد از روی آن چندین بار بنویس.

Trace this word first, then practice writing it by yourself.

بابا

/bă.bă/

DAD

بابا بابا بابا بابا بابا بابا

کلمه ی زیر را پُررنگ کن و بعد از روی آن چندین بار بنویس.
Trace this word first, then practice writing it by yourself.

باد

/băd/

WIND

باد باد باد باد باد باد

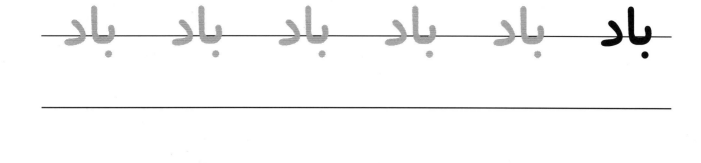

کلمه ی فارسی مناسب برای هر تصویر را کنار آن بنویس. دور کلمه ای را که حرف «د» دارد، دایره بکش.

Write the Persian word for each picture next to it. Circle the word that has a letter with the "D" sound.

_____

_____

_____

LESSON 2

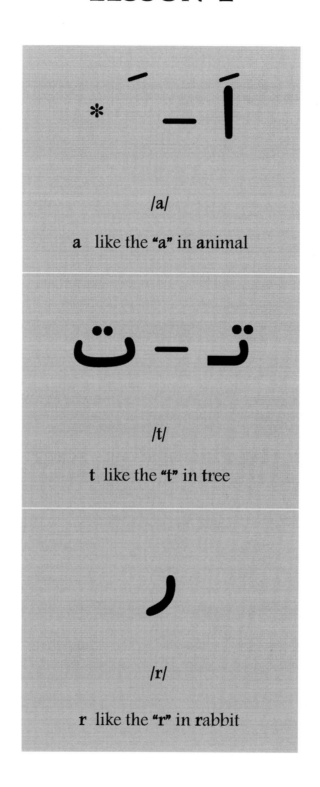

اَ – ́ *

/a/

a like the "a" in animal

ت – ت

/t/

t like the "t" in tree

ر

/r/

r like the "r" in rabbit

* short vowel

حرف زیر را پُررنگ کن و بعد از روی آن چندین بار بنویس.

Trace this letter first, then practice writing it by yourself.

حرف زیر را پُررنگ کن و بعد از روی آن چندین بار بنویس.

Trace this letter first, then practice writing it by yourself.

ت - تـ

تـ تـ تـ تـ تـ تـ تـ تـ

ت ت ت ت ت ت ت

حرف زیر را پُررنگ کن و بعد از روی آن چندین بار بنویس.

Trace this letter first, then practice writing it by yourself.

ر

ر ر ر ر ر ر ر ر ر

کلمه ی زیر را پُررنگ کن و بعد از روی آن چندین بار بنویس.

Trace this word first, then practice writing it by yourself.

اَبر

/abr/

CLOUD

اَبر اَبر اَبر اَبر اَبر اَبر اَبر

کلمه ی زیر را پُررنگ کن و بعد از روی آن چندین بار بنویس.

Trace this word first, then practice writing it by yourself.

بَبر

/babr/

TIGER

بَبر بَبر بَبر بَبر بَبر بَبر

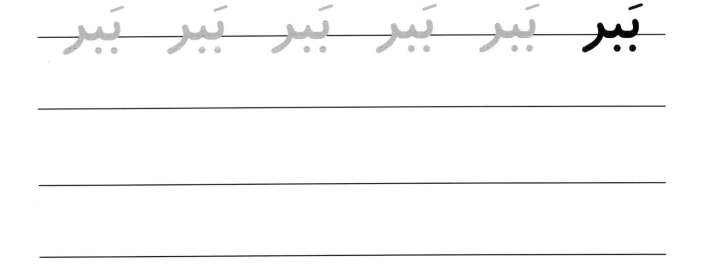

کلمه ی زیر را پُررنگ کن و بعد از روی آن چندین بار بنویس.

Trace this word first, then practice writing it by yourself.

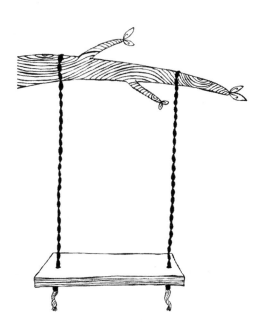

تاب

/tăb/

SWING

تاب تاب تاب تاب تاب

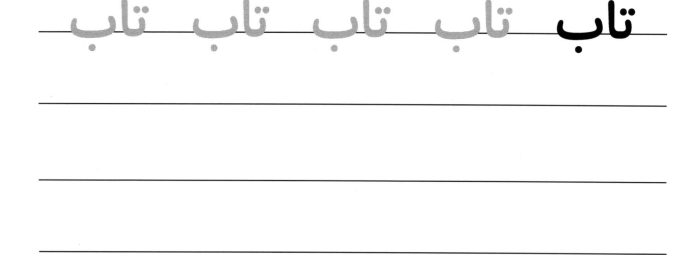

کلمه ی زیر را پُررنگ کن و بعد از روی آن چندین بار بنویس.

Trace this word first, then practice writing it by yourself.

تَبَر

/ta.bar/

AX

تَبَر تَبَر تَبَر تَبَر تَبَر تَبَر

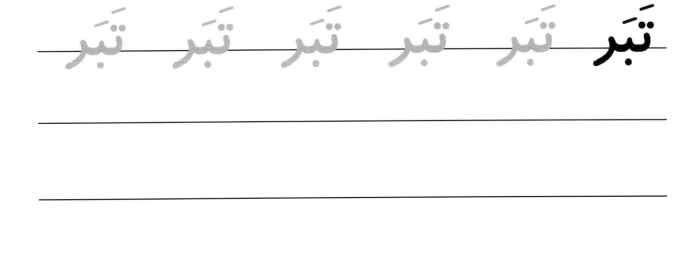

به تصویرهای زیر نگاه کن. دور کلمه ای را که اسم درست هر تصویر است، دایره بکش.

Look at the pictures. Circle the correct Persian word for each picture.

تَبَر بَبر

تاب باد

Connect each Persian word to its picture.

هر کلمه ی فارسی را به تصویرش وصل کن.

اَبر

تَبَر

تاب

این تصویر را رنگ کن و کلمه ی فارسی مناسب آن را زیرش بنویس.

Color this picture and write its Persian word under it.

حالا می توانی این کلمه ها را هم بخوانی. از روی هر کلمه سه بار بنویس.

Now you can read these words too. Write each word three times.

دَر /dar/ (DOOR/ IN)	بَد /bad/ (BAD)	تا /tă/ (UNTIL)	با /bă/ (WITH)
تَر /tar/ (WET)	دَرد /dard/ (PAIN)	تار /tăr/ (CORD/ STRING)	بار /băr/ (LOAD)
		داد /dăd/ (HE/SHE GAVE ...)	دارَد /dă.rad/ (HE/SHE HAS ...)

LESSON 3

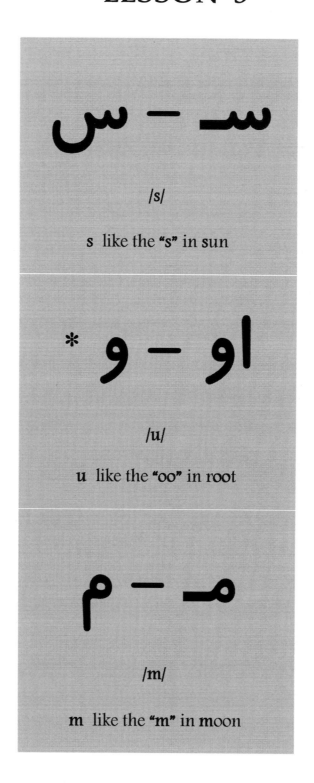

س ــ س

/s/

s like the "s" in sun

او ــ و   *

/u/

u like the "oo" in root

م ــ مـ

/m/

m like the "m" in moon

*   long vowel

حرف زیر را پُررنگ کن و بعد از روی آن چندین بار بنویس.

Trace this letter first, then practice writing it by yourself.

سـ - س

سـ سـ سـ سـ سـ سـ سـ

س س س س س س س

حرف زیر را پُررنگ کن و بعد از روی آن چندین بار بنویس.

Trace this letter first, then practice writing it by yourself.

او - و

او او او او او او او

و و و و و و و

حرف زیر را پُررنگ کن و بعد از روی آن چندین بار بنویس.

Trace this letter first, then practice writing it by yourself.

م - مـ

مـ مـ مـ مـ مـ مـ مـ مـ

م م م م م م م م

کلمه ی زیر را پُررنگ کن و بعد از روی آن چندین بار بنویس.

Trace this word first, then practice writing it by yourself.

اَسب

/asb/

HORSE

اَسب اَسب اَسب اَسب اَسب اَسب

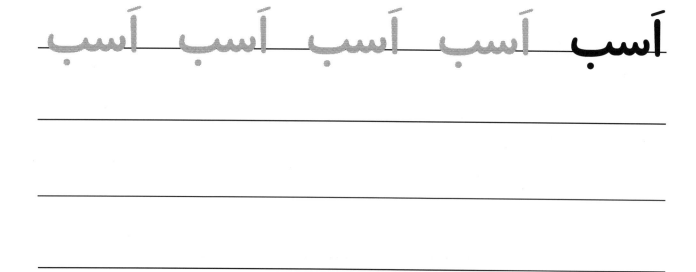

کلمه ی زیر را پُررنگ کن و بعد از روی آن چندین بار بنویس.

Trace this word first, then practice writing it by yourself.

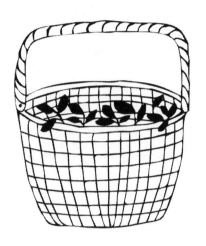

سَبَد

/sa.bad/

BASKET

سَبَد سَبَد سَبَد سَبَد سَبَد

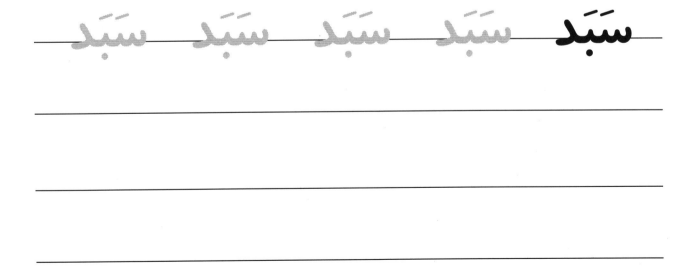

کلمه ی زیر را پُررنگ کن و بعد از روی آن چندین بار بنویس.

Trace this word first, then practice writing it by yourself.

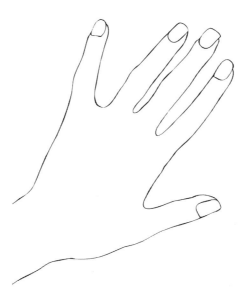

دَست

/dast/

HAND

دَست دَست دَست دَست دَست

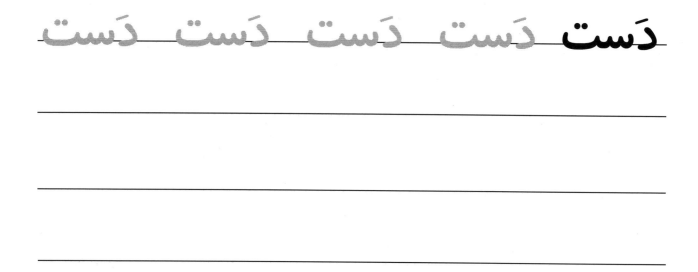

کلمه ی زیر را پُررنگ کن و بعد از روی آن چندین بار بنویس.

Trace this word first, then practice writing it by yourself.

سوت

/sut/

WHISTLE

سوت سوت سوت سوت سوت سوت

کلمه ی زیر را پُررنگ کن و بعد از روی آن چندین بار بنویس.

Trace this word first, then practice writing it by yourself.

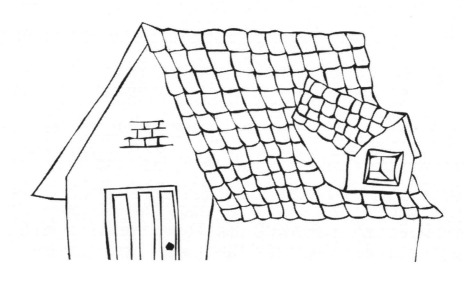

بام

/băm/

ROOF

بام بام بام بام بام بام

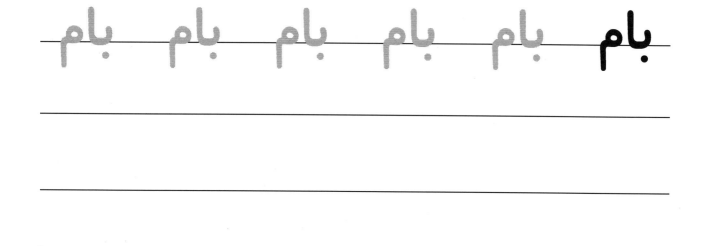

کلمه ی زیر را پُررنگ کن و بعد از روی آن چندین بار بنویس.

Trace this word first, then practice writing it by yourself.

مار

/măr/

SNAKE

مار مار مار مار مار مار مار

کلمه‌ی فارسی مناسب برای هر تصویر را کنار آن بنویس. دور کلمه‌ای را که حرف « ر » دارد، دایره بکش.

Write the Persian word for each picture next to it. Circle the word that has a letter with the "R" sound.

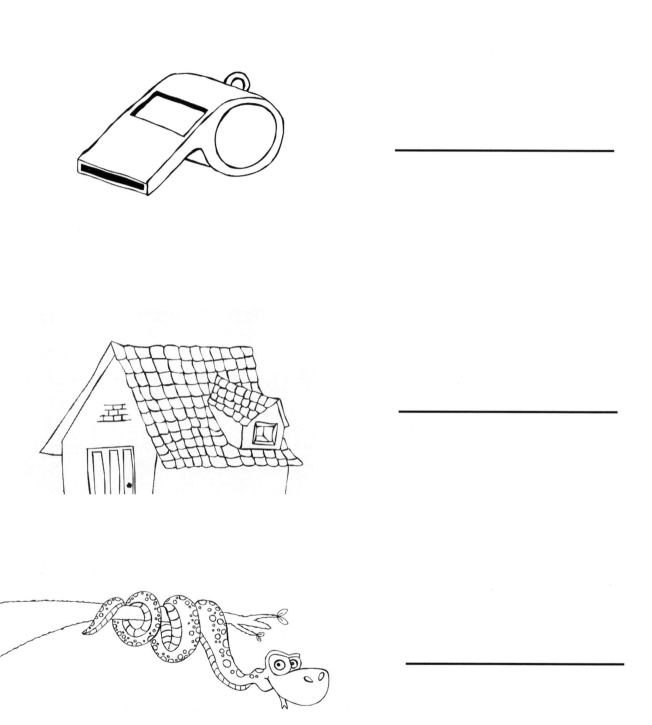

_____

_____

_____

تصویری را که کلمه‌ی فارسی‌اش، حرف «سـ – س» <u>ندارد</u> ، پیدا کن و رنگ کن.

Color the picture for which its Persian word does NOT have a letter with the "S" sound.

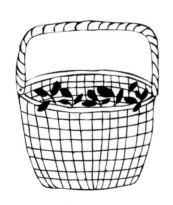

با کمک تصویرها ، جدول زیر را کامل کن.

With the help of the pictures, complete the word puzzle below.

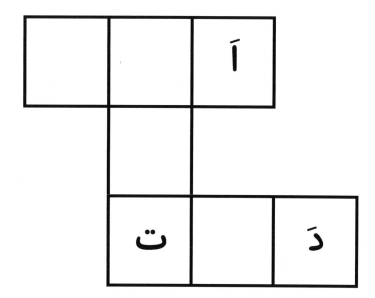

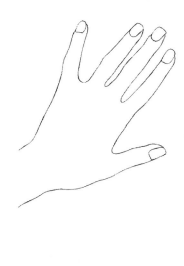

حالا می توانی این کلمه ها را هم بخوانی. از روی هر کلمه سه بار بنویس.

Now you can read these words too. Write each word three times.

سَرد /sard/ (COLD)	دَرس /dars/ (LESSON)	مَرد /mard/ (MAN)	دود /dud/ (SMOKE)
بَست /bast/ (HE/SHE CLOSED...)	مو /mu/ (HAIR)	اَبرو /ab.ru/ (EYE BROW)	تَرس /tars/ (FEAR)
آمَدَم /ă.ma.dam/ (I CAME)	آمَد /ă.mad/ (HE/SHE CAME)	بود /bud/ (HE/SHE WAS ...)	اَست /ast/ (HE/SHE IS ...)
توت /tut/ (MULBERRY)	آرام /ă.răm/ (QUIET)	دوست /dust/ (FRIEND)	بَرادَر /ba.ră.dar/ (BROTHER)
ماست /măst/ (YOGURT)	دوست دارَد /dust- dă.rad/ (HE/SHE LIKES...)	سام /săm/ (SAM)	سارا /să.ră/ (SARA)
سَر /sar/ (HEAD)	بو /bu/ (SMELL)	بادام /bă.dăm/ (ALMOND)	مادَر /mă.dar/ (MOTHER)

۴۰

LESSON 4

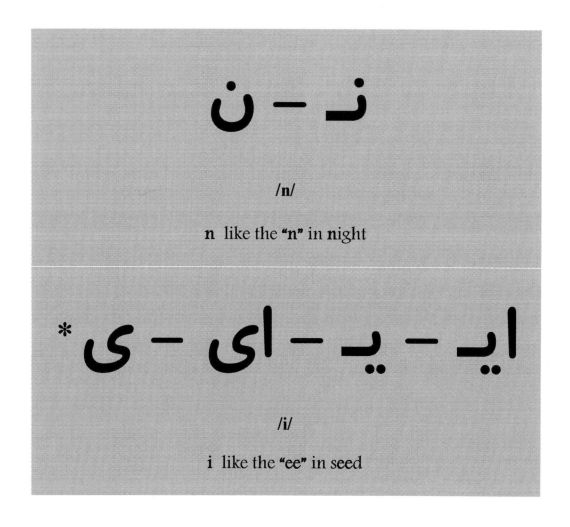

ن – نـ

/n/

n like the **"n"** in **n**ight

* ى – اى – يـ – ايـ

/i/

i like the **"ee"** in seed

* long vowel

حرف زیر را پُررنگ کن و بعد از روی آن چندین بار بنویس.

Trace this letter first, then practice writing it by yourself.

ن - نـ

نـ نـ نـ نـ نـ نـ نـ نـ

ن ن ن ن ن ن ن

حرف زیر را پُررنگ کن و بعد از روی آن چندین بار بنویس.

Trace this letter first, then practice writing it by yourself.

ایـ - یـ - ای - ی

ایـ ایـ ایـ ایـ ایـ ایـ

یـ یـ یـ یـ یـ یـ یـ یـ

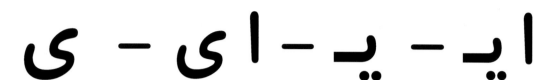

ای ای ای ای ای ای ای

ی ی ی ی ی ی ی

کلمه ی زیر را پُررنگ کن و بعد از روی آن چندین بار بنویس.

Trace this word first, then practice writing it by yourself.

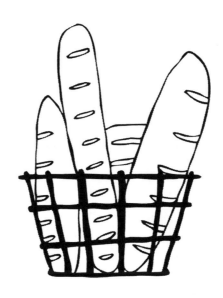

نان

/năn/

BREAD

نان نان نان نان نان نان نان

کلمه ی زیر را پُررنگ کن و بعد از روی آن چندین بار بنویس.

Trace this word first, then practice writing it by yourself.

اَنار

/a.năr/

POMEGRANATE

اَنار اَنار اَنار اَنار اَنار اَنار

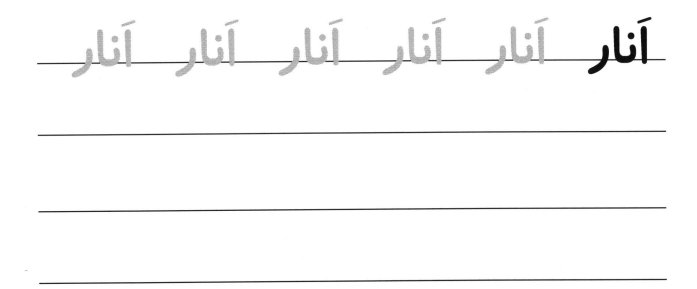

کلمه ی زیر را پُررنگ کن و بعد از روی آن چندین بار بنویس.

Trace this word first, then practice writing it by yourself.

آناناس

/ă.nă.năs/

PINEAPPLE

آناناس آناناس آناناس آناناس

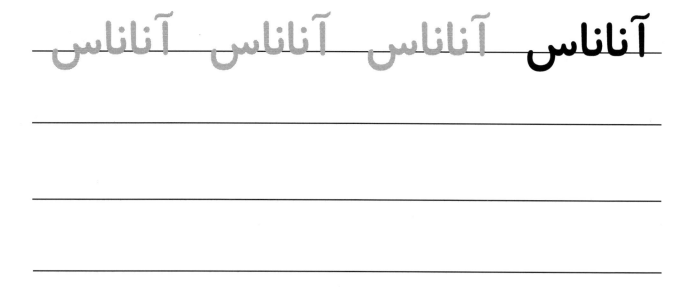

کلمه ی زیر را پُررنگ کن و بعد از روی آن چندین بار بنویس.

Trace this word first, then practice writing it by yourself.

آب نَبات

/ăb- na.băt/

LOLLIPOP

آب نَبات آب نَبات آب نَبات

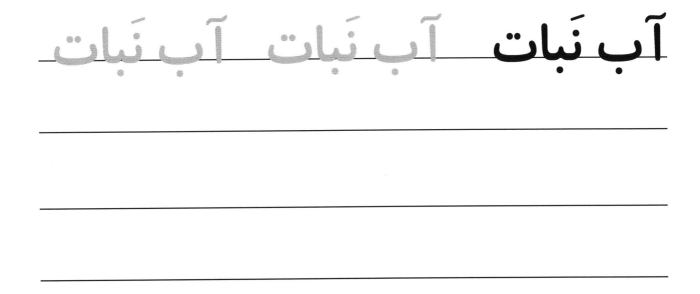

کلمه ی زیر را پُررنگ کن و بعد از روی آن چندین بار بنویس.

Trace this word first, then practice writing it by yourself.

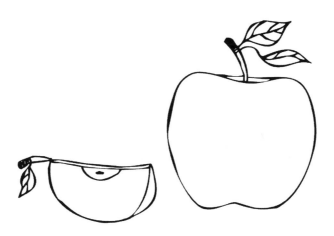

سیب

/sib/

APPLE

سیب سیب سیب سیب سیب

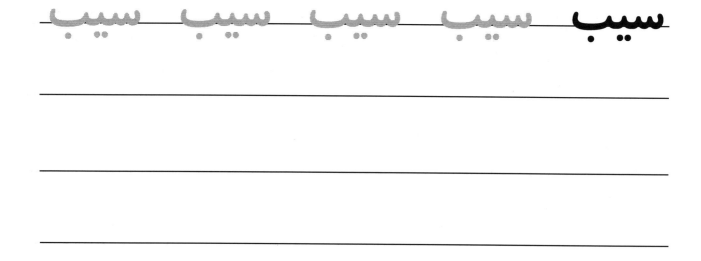

کلمه ی زیر را پُررنگ کن و بعد از روی آن چندین بار بنویس.
Trace this word first, then practice writing it by yourself.

دامَن

/dă.man/
SKIRT

دامَن دامَن دامَن دامَن دامَن دامَن

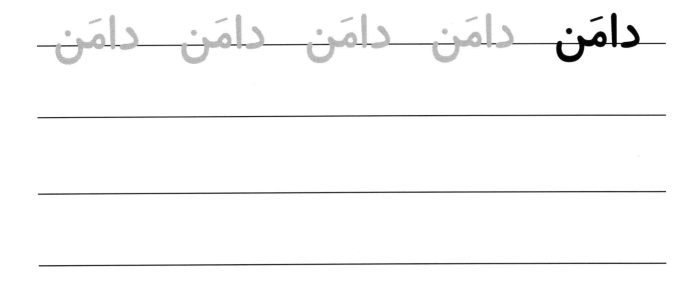

به تصویرهای زیر نگاه کن. دور کلمه ای را که اسم درست هر تصویر است، دایره بکش.

Look at the pictures. Circle the correct Persian word for each picture.

دامَن　　　اَنار

آب نَبات　　　آناناس

Connect each Persian word to its picture.

هر کلمه ی فارسی را به تصویرش وصل کن.

آب نَبات

دامَن

نان

سیب

تصویری را که کلمه ی فارسی اش حرف «نـ - ن» ندارد ، پیدا کن و رنگ کن.

Color the picture for which its Persian word does NOT have a letter with the "N" sound.

حالا می توانی این کلمه ها را هم بخوانی. از روی هر کلمه سه بار بنویس.

Now you can read these words too. Write each word three times.

آن /ăn/ (THAT)	این /in/ (THIS)	آبی /ă.bi/ (BLUE)	ایران /i.răn/ (IRAN)
بَدَن /ba.dan/ (BODY)	دَندان /dan.dăn/ (TOOTH)	باران /bă.răn/ (RAIN)	نَرم /narm/ (SOFT)
نور /nur/ (LIGHT)	نیست /nist/ (THERE IS NOT...)	دیدَم /di.dam/ (I SAW ...)	دیدیم /di.dim/ (WE SAW...)
می بینیم /mi.bi.nim/ (WE SEE...)	می بینی /mi.bi.ni/ (YOU SEE...)	می بارَد /mi.bă.rad/ (IT RAINS)	می دانَم /mi.dă.nam/ (I KNOW...)
می دانی /mi.dă.ni/ (YOU KNOW...)	می تابَد /mi.tă.bad/ (IT SHINES...)	نَدارَد /na.dă.rad/ (HE/SHE DOESN'T HAVE...)	ایستادَم /is.tă.dam/ (I STOOD UP)
ایستادیم /is.tă.dim/ (WE STOOD UP)	می تَرسَم /mi.tar.sam/ (I'M SCARED)	می تَرسَد /mi.tar.sad/ (HE/SHE IS SCARED)	بَستَنی /bas.ta.ni/ (ICE CREAM)
مانی /mă.ni/ (MANI)	نیما /ni.mă/ (NIMA)	نورا /nu.ră/ (NOORA)	سینا /si.nă/ (SINA)

LESSON 5

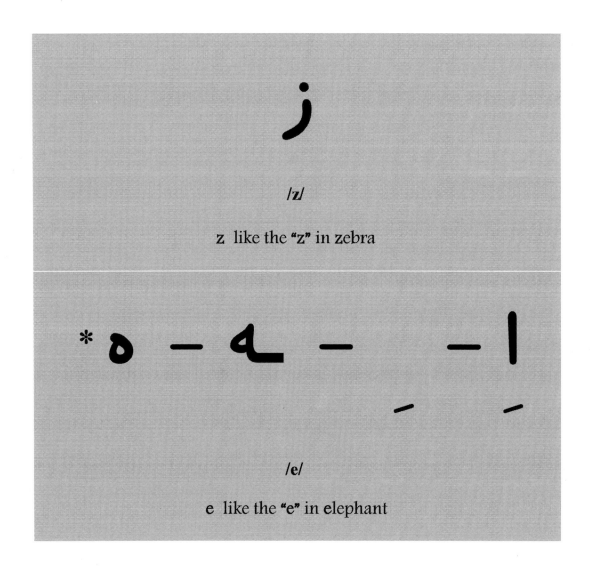

ز

/z/

z like the **"z"** in zebra

*ه – ـه – ـِ – اِ

/e/

e like the **"e"** in elephant

* short vowel

حرف زیر را پُررنگ کن و بعد از روی آن چندین بار بنویس.

Trace this letter first, then practice writing it by yourself.

ز

ز ز ز ز ز ز ز ز ز

حرف زیر را پُررنگ کن و بعد از روی آن چندین بار بنویس.

Trace this letter first, then practice writing it by yourself.

ه - ـه - ـ - ـ - اِ

هـ هـ هـ هـ هـ هـ هـ

ه ه ه ه ه ه ه ه

کلمه ی زیر را پُررنگ کن و بعد از روی آن چندین بار بنویس.

Trace this word first, then practice writing it by yourself.

زَنبور

/zan.bur/

BEE

زَنبور زَنبور زَنبور زَنبور زَنبور زَنبور

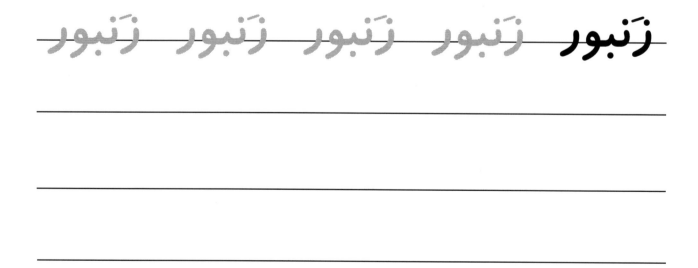

کلمه ی زیر را پُررنگ کن و بعد از روی آن چندین بار بنویس.

Trace this word first, then practice writing it by yourself.

نامه

/nǎ.me/

LETTER

نامه نامه نامه نامه نامه

کلمه ی زیر را پُررنگ کن و بعد از روی آن چندین بار بنویس.

Trace this word first, then practice writing it by yourself.

مِداد

/me.dǎd/

PENCIL

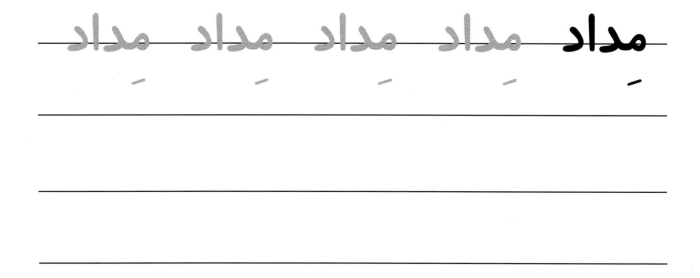

مِداد مِداد مِداد مِداد مِداد مِداد

کلمه ی زیر را پُررنگ کن و بعد از روی آن چندین بار بنویس.

Trace this word first, then practice writing it by yourself.

ستاره

/se.tă.re/

STAR

سِتاره سِتاره سِتاره سِتاره

با کمک تصویرها ، جدول زیر را کامل کن.

With the help of the pictures, complete the word puzzle below.

زَ

ا

ر

کلمه‌ی فارسی مناسب برای هر تصویر را کنار آن بنویس. دور کلمه‌ای را که حرف «ز» دارد، دایره بکش.

Write the Persian word for each picture next to it. Circle the word that has a letter with the "Z" sound.

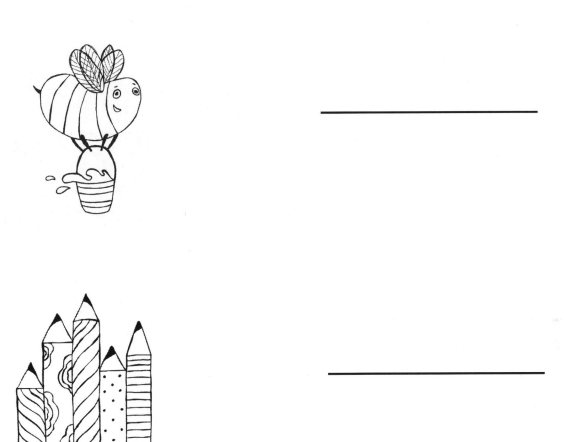

_____

_____

_____

حالا می توانی این کلمه ها را هم بخوانی. از روی هر کلمه سه بار بنویس.

Now you can read these words too. Write each word three times.

به **/be/** **(TO)**	دانه **/dă.ne/** **(SEED)**	زَرد **/zard/** **(YELLOW)**	سَبز **/sabz/** **(GREEN)**
زَمین **/za.min/** **(EARTH)**	زَمان **/za.măn/** **(TIME)**	زیر **/zir/** **(UNDER)**	زَبان **/za.băn/** **(TONGUE/LANGUAGE)**
آسِمان **/ă.se.măn/** **(SKY)**	روز **/ruz/** **(DAY)**	سوزَن **/su.zan/** **(NEEDLE)**	زَن **/zan/** **(WOMAN)**
دیروز **/di.ruz/** **(YESTERDAY)**	اَز **/az/** **(FROM)**	بازی **/bă.zi/** **(PLAY)**	باز **/băz/** **(OPEN)**
بِدانید **/be.dă.nid/** **(YOU *should* KNOW)**	می سوزَد **/mi.su.zad/** **(IT BURNS)**	می زَنَم **/mi.za.nam/** **(I HIT...)**	می سازَم **/mi.să.zam/** **(I MAKE...)**
مَدرِسه **/mad.re.se/** **(SCHOOL)**	بِران **/be.răn/** **(DRIVE !)**	می بازَم **/mi.bă.zam/** **(I LOSE)**	می دوزَد **/mi.du.zad/** **(HE/SHE SEWS...)**
زِمِستان **/ze.mes.tăn/** **(WINTER)**	تابِستان **/tă.bes.tăn/** **(SUMMER)**	نازَنین **/nă.za.nin/** **(NAZANIN)**	مَزدا **/maz.dă/** **(MAZDA)**

این جمله ها را بخوان و معنی انگلیسی آنها را زیرشان بنویس.

Read these Persian sentences and write their English translations under them.

۱- این دانه سَبز اَست.

_____

۲- نازَنین دامَن می دوزَد.

_____

۳- مَزدا بَستَنی دوست نَدارَد.

_____

۴- مِدادِ مَن زَرد اَست.

_____

۵- مَن به مَدرِسه آمَدَم.

_____

LESSON 7

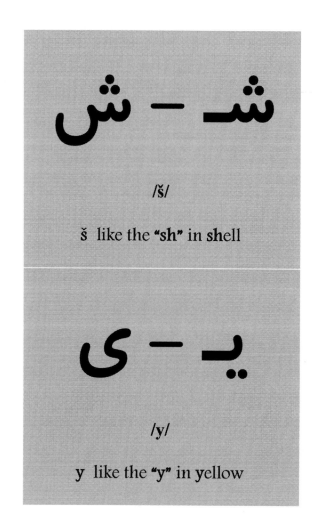

ش – شـ

/š/

š like the "sh" in shell

ی – یـ

/y/

y like the "y" in yellow

حرف زیر را پُررنگ کن و بعد از روی آن چندین بار بنویس.

Trace this letter first, then practice writing it by yourself.

ش - شـ

شـ شـ شـ شـ شـ شـ شـ

ش ش ش ش ش ش

حرف زیر را پُررنگ کن و بعد از روی آن چندین بار بنویس.

Trace this letter first, then practice writing it by yourself.

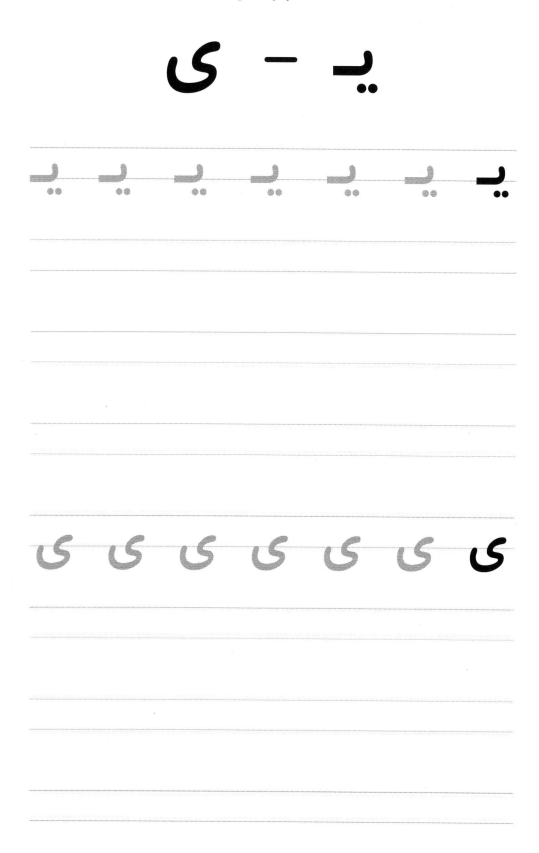

یـ - ی

یـ یـ یـ یـ یـ یـ یـ

ی ی ی ی ی ی ی

کلمه ی زیر را پُررنگ کن و بعد از روی آن چندین بار بنویس.

Trace this word first, then practice writing it by yourself.

شیر

/šir/

LION

شیر شیر شیر شیر شیر

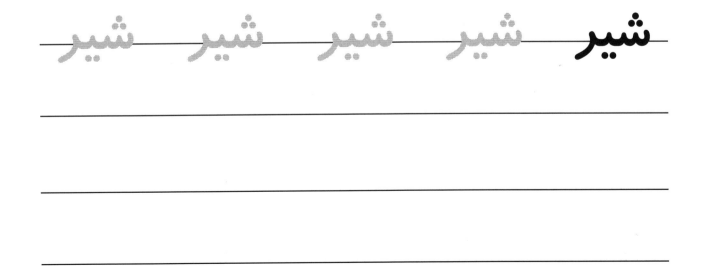

کلمه ی زیر را پُررنگ کن و بعد از روی آن چندین بار بنویس.

Trace this word first, then practice writing it by yourself.

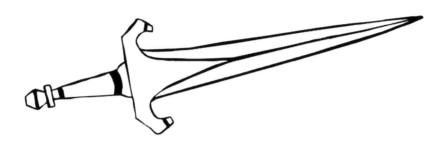

شَمشیر

/šam.šir/

SWORD

شَمشیر شَمشیر شَمشیر شَمشیر

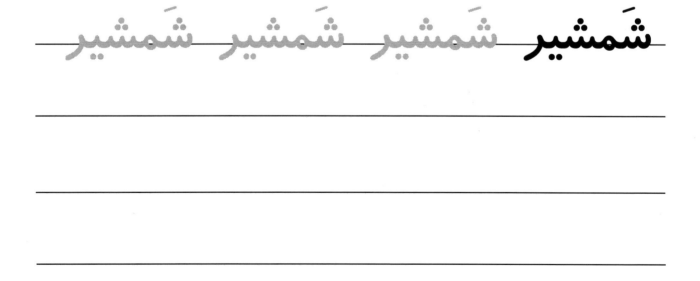

کلمه ی زیر را پُررنگ کن و بعد از روی آن چندین بار بنویس.

Trace this word first, then practice writing it by yourself.

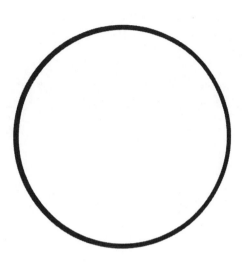

دایِره

/dă.ye.re/

CIRCLE

دایِره دایِره دایِره دایِره

کلمه ی زیر را پُررنگ کن و بعد از روی آن چندین بار بنویس.

Trace this word first, then practice writing it by yourself.

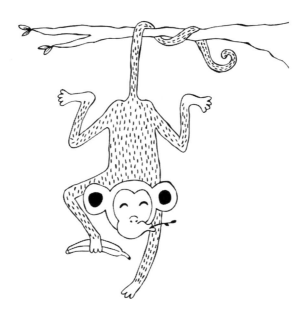

میِمون

/mey.mun/

MONKEY

میِمون میِمون میِمون میِمون

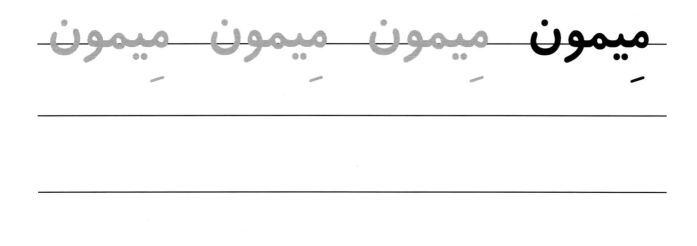

کلمه ی فارسی مناسب برای هر تصویر را کنار آن بنویس. دور کلمه ای را که حرف «شـ – ش» دارد، دایره بکش.

Write the Persian word for each picture next to it. Circle the word that has a letter with the "Sh" sound.

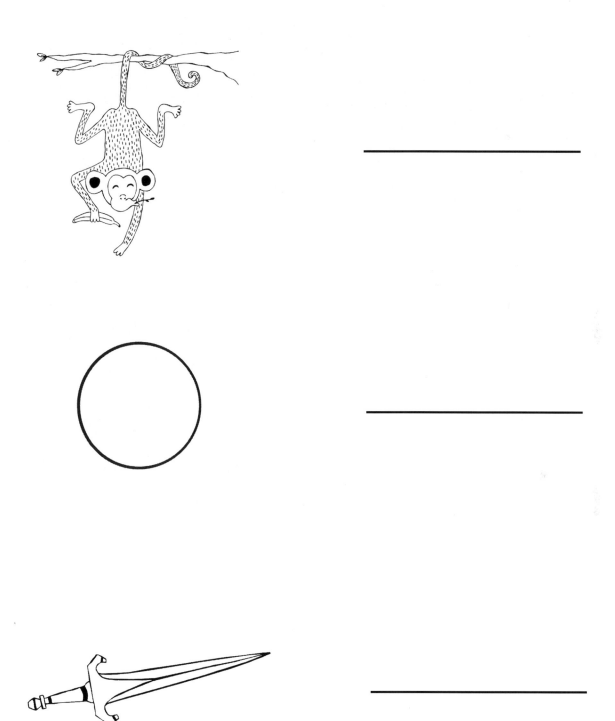

این تصویر را رنگ کن و کلمه ی فارسی آن را زیرش بنویس.

Color this picture and write its Persian word under it.

حالا می توانی این کلمه ها را هم بخوانی. از روی هر کلمه سه بار بنویس.

Now you can read these words too. Write each word three times.

شام /šăm/ (DINNER)	شانه /šă.ne/ (SHOULDER/COMB)	شور /šur/ (SALTY)	شَب /šab/ (NIGHT)
شیرین /ši.rin/ (SWEET)	دیشَب /di.šab/ (LAST NIGHT)	آتَش /ă.taš/ (FIRE)	شاد /šăd/ (HAPPY)
می شویَد /mi.šu.yad/ (HE/SHE WASHES...)	آتَش بازی /ă.taš- bă.zi/ (FIRE WORKS)	ماشین /mă.šin/ (CAR)	موش /muš/ (MOUSE)
می آیَم /mi.ă.yam/ (I COME)	نِشان داد /ne.šăn- dăd/ (HE/SHE SHOWED...)	شِنید /še.nid/ (HE/SHE HEARD...)	می نِشینی /mi.ne.ši.ni/ (YOU SIT)
سایه /să.ye/ (SHADOW)	شِنا /še.nă/ (SWIM)	بَرداشت /bar.dăšt/ (HE/SHE TOOK...)	یاد داد /yăd- dăd/ (HE/SHE TAUGHT...)
آتَش بازی /ă.taš- bă.zi/ (FIRE WORK)	دَریا /dar.yă/ (SEA)	شِن /šen/ (SAND)	تِشنه /teš.ne/ (THIRSTY)
شایان /šă.yăn/ (SHAYAN)	رایان /ră.yăn/ (RYAN)	یاسَمَن /yă.sa.man/ (YASAMAN)	آریانا /ă.ri.yă.nă/ (ARIANA)

این جمله ها را بخوان و معنی انگلیسی آنها را زیرشان بنویس.

Read these Persian sentences and write their English translations under them.

۱- آبِ دَریا شور اَست.

۲- شایان ماشین را می شویَد.

۳- ما دیشَب آتَش بازی را دیدیم.

۴- این شیر اَز آن موش می تَرسَد.

۵- رایان شَمشیرَش را به مَن نِشان داد.

LESSON 8

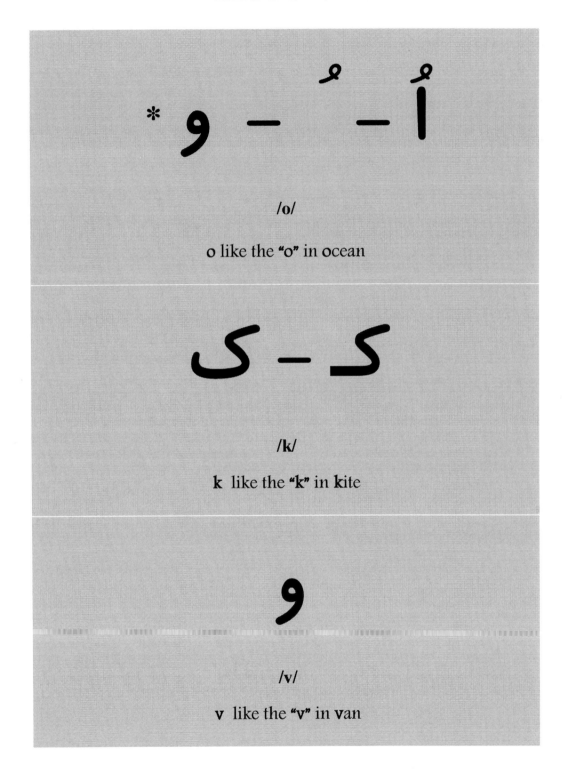

اُ – ـُ – و *

/o/

o like the **"o"** in ocean

کـ – ک

/k/

k like the **"k"** in **k**ite

و

/v/

v like the **"v"** in **v**an

* short vowel

حرف زیر را پُررنگ کن و بعد از روی آن چندین بار بنویس.

Trace this letter first, then practice writing it by yourself.

اُ – ـُ – و

اُ اُ اُ اُ اُ اُ اُ اُ

ـُ ـُ ـُ ـُ ـُ ـُ ـُ ـُ

و‬ و‬ و‬ و‬ و‬ و‬ و‬ **و**

حرف زیر را پُررنگ کن و بعد از روی آن چندین بار بنویس.

Trace this letter first, then practice writing it by yourself.

ک - کـ

کـ کـ کـ کـ کـ کـ کـ

ک ک ک ک ک ک

حرف زیر را پُررنگ کن و بعد از روی آن چندین بار بنویس.

Trace this letter first, then practice writing it by yourself.

و

و و و و و و و و

کلمه ی زیر را پُررنگ کن و بعد از روی آن چندین بار بنویس.

Trace this word first, then practice writing it by yourself.

کِتاب

/ke.tăb/

BOOK

کِتاب کِتاب کِتاب کِتاب کِتاب

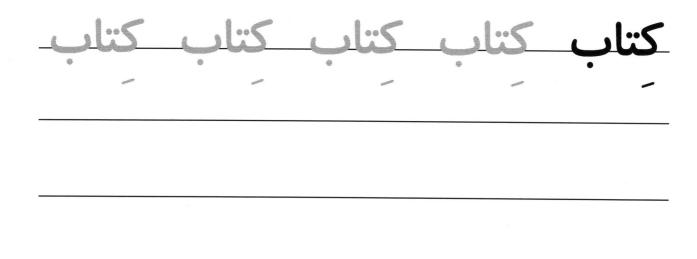

کلمه ی زیر را پُررنگ کن و بعد از روی آن چندین بار بنویس.

Trace this word first, then practice writing it by yourself.

بادبادَک

/băd.bă.dak/

KITE

بادبادَک بادبادَک بادبادَک بادبادَک

کلمه ی زیر را پُررنگ کن و بعد از روی آن چندین بار بنویس.

Trace this word first, then practice writing it by yourself.

اُردَک

/or.dak/

DUCK

اُردَک اُردَک اُردَک اُردَک

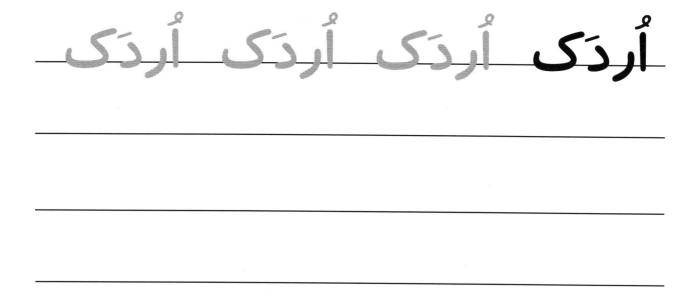

کلمه ی زیر را پُررنگ کن و بعد از روی آن چندین بار بنویس.

Trace this word first, then practice writing it by yourself.

شُتُر

/šo.tor/

CAMEL

شُتُر شُتُر شُتُر شُتُر شُتُر

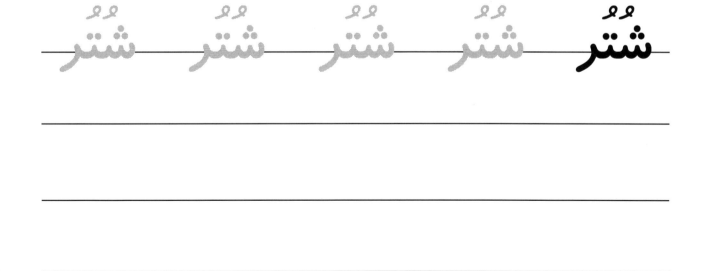

کلمه ی زیر را پُررنگ کن و بعد از روی آن چندین بار بنویس.

Trace this word first, then practice writing it by yourself.

بادکُنَک

/bǎd.ko.nak/

BALLOON

بادکُنَک بادکُنَک بادکُنَک بادکُنَک

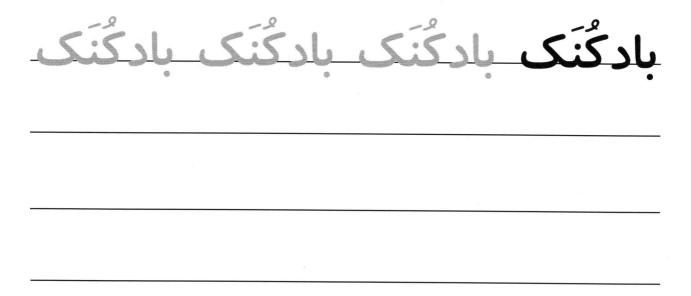

کلمه ی زیر را پُررنگ کن و بعد از روی آن چندین بار بنویس.

Trace this word first, then practice writing it by yourself.

سَماوَر

/sa.mă.var/

SAMOVAR

سَماوَر سَماوَر سَماوَر سَماوَر

به تصویرها نگاه کن. حرف گم شده‌ی هر کلمه را پیدا کن و آن را در جای مناسبش بنویس.

Look at the pictures. Find the missing letter in each word, then write it in its place.

بادبادَ ____

سَما ____ ر

____ ردَک

Connect each Persian word to its picture.

هر کلمه ی فارسی را به تصویرش وصل کن.

کِتاب

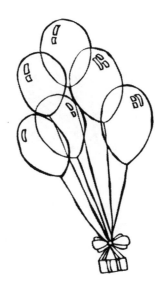

اُردَک

شُتُر

بادکُنَک

این تصویر را رنگ کن و کلمه ی فارسی آن را زیرش بنویس.

Color this picture and write its Persian word under it.

حالا می توانی این کلمه ها را هم بخوانی. از روی هر کلمه سه بار بنویس.

Now you can read these words too. Write each word three times.

کُجا؟ **/ko.jă/** **(WHERE?)**	کَر **/kar/** **(DEAF)**	کور **/kur/** **(BLIND)**	کار **/kăr/** **(WORK)**
نوروز **/no.ruz/** **(NOROOZ)**	تُرش **/torš/** **(SOUR)**	شُما **/šo.mă/** **(YOU)**	سُرسُره **/sor.so.re/** **(SLIDE)**
کودَک **/ku.dak/** **(CHILD)**	کاسه **/kă.se/** **(BOWL)**	نَمَکدان **/na.mak.dăn/** **(SALT SHAKER)**	نَمَک **/na.mak/** **(SALT)**
شِکَر **/še.kar/** **(SUGAR)**	کَشتی **/kaš.ti/** **(SHIP)**	وَرزِش **/var.zeš/** **(SPORT/EXERCISE)**	کِیک **/keyk/** **(CAKE)**
می کُنیم **/mi.ko.nim/** **(WE DO...)**	می کارَد **/mi.kă.rad/** **(HE/SHE PLANTS...)**	می تَوانَد **/mi.ta.vă.nad/** **(HE/SHE CAN...)**	شِکَست **/še.kast/** **(HE/SHE BROKE...)**
کامران **/kăm.răn/** **(KAMRAN)**	می آوَرید **/mi.ă.va.rid/** **(YOU BRING...)**	می کُنَد **/mi.ko.nad/** **(HE/SHE DOES ...)**	تَکان داد **/te.kăn- dăd/** **(HE/SHE SHOOK...)**
نیکی **/ni.ki/** **(NIKKI)**	کیمیا **/ki.mi.yă/** **(KIMIA)**	کیانا **/ki.yă.nă/** **(KIANA)**	کیان **/ki.yăn/** **(KIAN)**

این جمله ها را بخوان و معنی انگلیسی آنها را زیرشان بنویس.

Read these Persian sentences and write their English translations under them.

۱- شُما کِتابِ کیان را می آوَرید.

۲- کامران کاسه را شِکَست.

۳- نیکی کِیک دوست دارَد.

۴- دَر نَمَکدان نَمَک نیست!

۵- ما دَر مَدرِسه کار می کُنیم.

LESSON 9

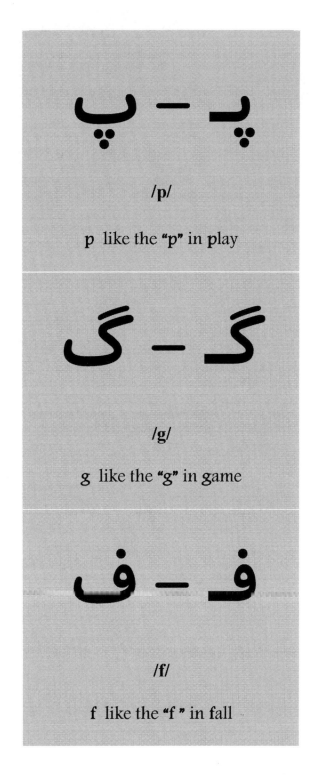

پ – پ

/p/

p like the "p" in play

گ – گ

/g/

g like the "g" in game

ف – ف

/f/

f like the "f " in fall

حرف زیر را پُررنگ کن و بعد از روی آن چندین بار بنویس.

Trace this letter first, then practice writing it by yourself.

پ - پـ

پـ پـ پـ پـ پـ پـ پـ پـ

پ پ پ پ پ پ پ

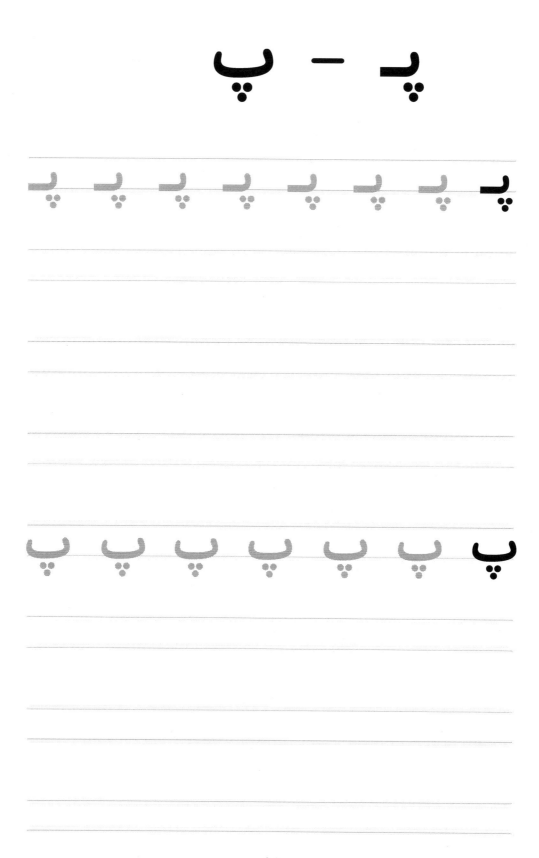

حرف زیر را پُررنگ کن و بعد از روی آن چندین بار بنویس.

Trace this letter first, then practice writing it by yourself.

گـ - گ

گـ گـ گـ گـ گـ گـ گـ

گ گ گ گ گ گ

حرف زیر را پُررنگ کن و بعد از روی آن چندین بار بنویس.

Trace this letter first, then practice writing it by yourself.

فـ - ف

فـ فـ فـ فـ فـ فـ فـ فـ

ف ف ف ف ف ف

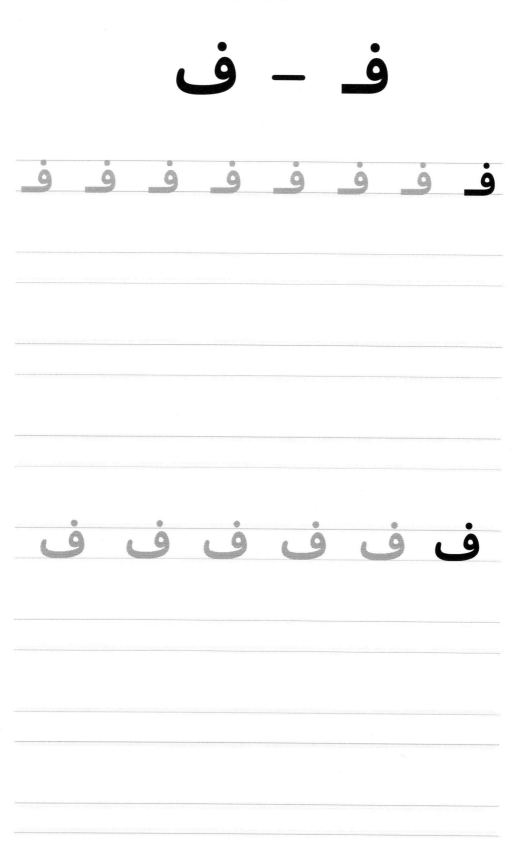

کلمه ی زیر را پُررنگ کن و بعد از روی آن چندین بار بنویس.

Trace this word first, then practice writing it by yourself.

پَرَنده

/pa.ran.de/

BIRD

پَرَنده پَرَنده پَرَنده پَرَنده پَرَنده

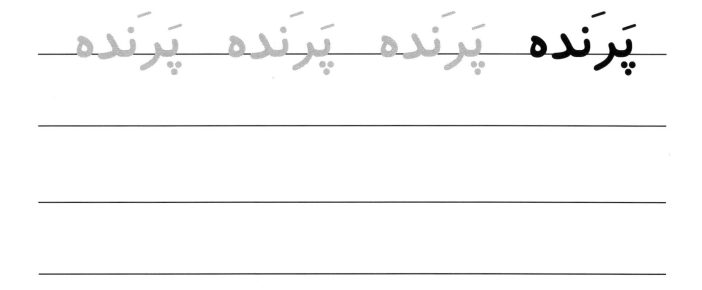

کلمه ی زیر را پُررنگ کن و بعد از روی آن چندین بار بنویس.

Trace this word first, then practice writing it by yourself.

پیاز

/pi.yăz/

ONION

پیاز پیاز پیاز پیاز پیاز پیاز

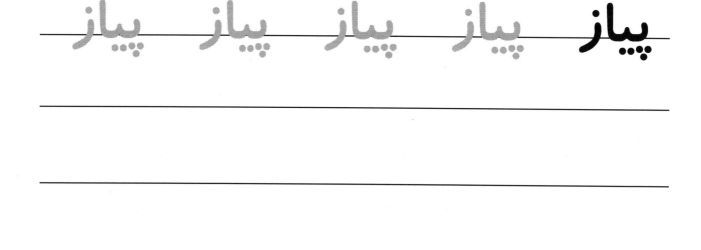

کلمه ی زیر را پُررنگ کن و بعد از روی آن چندین بار بنویس.

Trace this word first, then practice writing it by yourself.

توت فَرَنگی

/tut- fa.ran.gi/

STRAWBERRY

توت فَرَنگی   توت فَرَنگی   توت فَرَنگی

_____

_____

_____

کلمه ی زیر را پُررنگ کن و بعد از روی آن چندین بار بنویس.

Trace this word first, then practice writing it by yourself.

فرشته

/fe.reš.te/

ANGEL

فِرِشته فِرِشته فِرِشته فِرِشته

کلمه‌ی فارسی مناسب برای هر تصویر را کنار آن بنویس. دور کلمه‌ای را که حرف «فـ – ف» دارد، دایره بکش.

Write the Persian word for each picture next to it. Circle the word that has a letter with the "F" sound.

_____

_____

_____

Connect each Persian word to its picture.

هر کلمه ی فارسی را به تصویرش وصل کن.

پیاز

توت فَرَنگی

فِرِشته

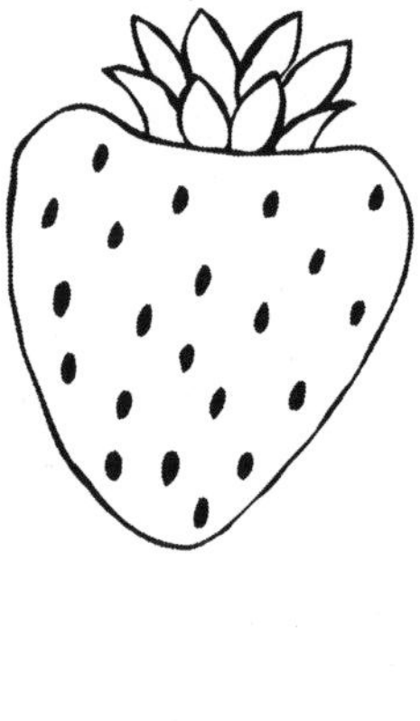

پَرَنده

کلمه ی فارسی این تصویر را زیر آن بنویس، بعد در جدول زیر حرف های آن را پیدا کن و دورشان خط بکش.

Write the Persian word for this picture under it. Then find its letters in the puzzle and circle them.

پـِ	رَ	نـ	ـه	ذ	فـ
زِ	پـِ	قـِ	رُ	ا	ر
سـ	نـ	رِ	شـ	ه	نـ
ثـ	پَـ	رَ	نـ	د	ه
ـه	بـ	تـ	شـ	ا	تـ

حالا می توانی این کلمه ها را هم بخوانی. از روی هر کلمه سه بار بنویس.

Now you can read these words too. Write each word three times.

پَروانه **/par.vă.ne/** **(BUTTERFLY)**	**سوپ** **/sup/** **(SOUP)**	**پِسَر** **/pe.sar/** **(SON/BOY)**	**پِدَر** **/pe.dar/** **(FATHER)**
پُشت **/pošt/** **(BEHIND)**	**بَرف** **/barf/** **(SNOW)**	**گُربه** **/gor.be/** **(CAT)**	**سَگ** **/sag/** **(DOG)**
مادَر بُزُرگ **/mă.dar.bo.zorg/** **(GRANDMOTHER)**	**بُزُرگ** **/bo.zorg/** **(BIG)**	**کیف** **/kif/** **(BAG)**	**کَفش** **/kafš/** **(SHOE)**
می پوشَد **/mi.pu.šad/** **(HE/SHE WEARS...)**	**فِکر کَردَم** **/fekr- kar.dam/** **(I THOUGHT...)**	**گاو** **/găv/** **(COW)**	**پِدَر بُزُرگ** **/pe.dar.bo.zorg/** **(GRANDFATHER)**
بَرگَشت **/bar.gašt/** **(HE/SHE RETURNED)**	**می فُروشی** **/mi.fo.ru.ši/** **(YOU SELL ...)**	**گاز گِرِفت** **/găz- ge.reft/** **(HE/SHE BIT ...)**	**پُرسید** **/por.sid/** **(HE/SHE ASKED...)**
می پَزَد **/mi.pa.zad/** **(HE/SHE COOKS...)**	**گُفتَم** **/gof.tam/** **(I SAID...)**	**پَرواز کَرد** **/par.văz- kard/** **(HE/SHE FLEW)**	**گِریه نَکُن!** **/ger.ye- na.kon/** **(DON'T CRY!)**
پایا **/pă.yă/** **(PAYYA)**	**فَرناز** **/far.năz/** **(FARNAZ)**	**پارسا** **/păr.să/** **(PARSA)**	**گیتا** **/gi.tă/** **(GUITA)**

این جمله ها را بخوان و معنی انگلیسی آنها را زیرشان بنویس.

Read these Persian sentences and write their English translations under them.

۱- مادَر بُزُرگِ پایا دارَد کیک می پَزَد.

۲- پِدَرَم اَز ایران بَرگشت.

۳- به پارسا گُفتَم : «گِریه نَکُن!»

۴- سَگِ گیتا مَن را گاز گِرِفت.

۵- پَروانه دَر بَرف پَرواز کَرد.

LESSON 10

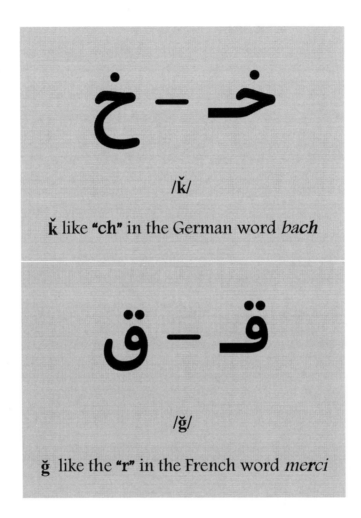

خ – خـ

/ǩ/

ǩ like "ch" in the German word *bach*

ق – قـ

/ǧ/

ǧ like the "r" in the French word *merci*

حرف زیر را پُررنگ کن و بعد از روی آن چندین بار بنویس.

Trace this letter first, then practice writing it by yourself.

خـ - خ

خـ خـ خـ خـ خـ خـ خـ

خ خ خ خ خ خ خ خ

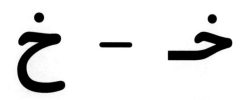

حرف زیر را پُررنگ کن و بعد از روی آن چندین بار بنویس.

Trace this letter first, then practice writing it by yourself.

قـ - ق

قـ قـ قـ قـ قـ قـ قـ قـ قـ

ق ق ق ق ق ق ق ق

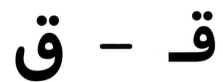

کلمه‌ی زیر را پُررنگ کن و بعد از روی آن چندین بار بنویس.

Trace this word first, then practice writing it by yourself.

خورشید

/ǩor.šid/

SUN

خورشید خورشید خورشید خورشید

کلمه ی زیر را پُررنگ کن و بعد از روی آن چندین بار بنویس.

Trace this word first, then practice writing it by yourself.

خانه

/kă.ne/

HOUSE

خانه خانه خانه خانه خانه

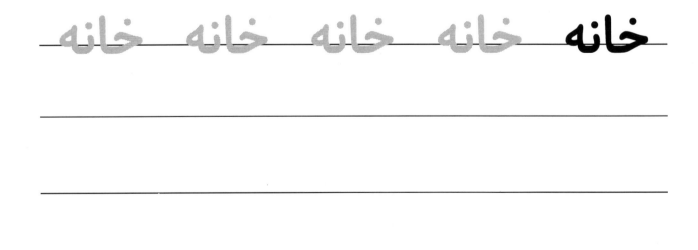

کلمه ی زیر را پُررنگ کن و بعد از روی آن چندین بار بنویس.

Trace this word first, then practice writing it by yourself.

دِرَخت

/de.rak̆t/

TREE

دِرَخت دِرَخت دِرَخت دِرَخت

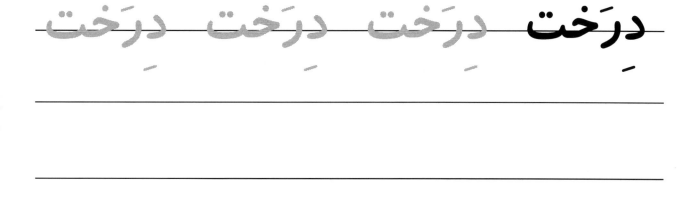

کلمه ی زیر را پُررنگ کن و بعد از روی آن چندین بار بنویس.

Trace this word first, then practice writing it by yourself.

خَرگوش

/ǩar.guš/

RABBIT

خَرگوش خَرگوش خَرگوش خَرگوش

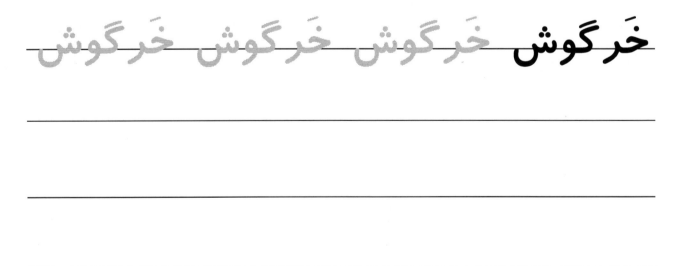

کلمه ی زیر را پُررنگ کن و بعد از روی آن چندین بار بنویس.

Trace this word first, then practice writing it by yourself.

قایِق

/ğă.yeğ/

BOAT

قایِق قایِق قایِق قایِق قایِق

کلمه ی زیر را پُررنگ کن و بعد از روی آن چندین بار بنویس.

Trace this word first, then practice writing it by yourself.

قو

/ğu/

SWAN

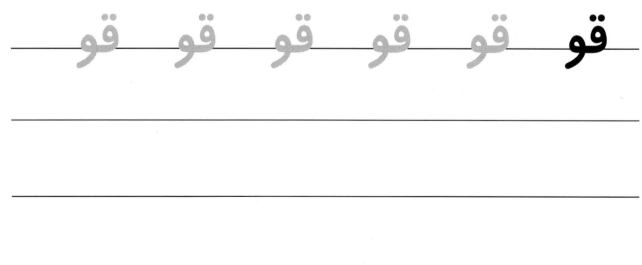

قو قو قو قو قو قو

Connect each Persian word to its picture.

هر کلمه ی فارسی را به تصویرش وصل کن.

قایِق

خورشید

قو

خانه

کلمه‌ی فارسی مناسب برای هر تصویر را کنار آن بنویس. دور کلمه‌ای را که حرف «قـ - ق» دارد، دایره بکش.

Write the Persian word for each picture next to it. Circle the word that has a letter with the "Ğ" sound.

_____

_____

_____

با کمک تصویرها ، جدول زیر را کامل کن.

With the help of the pictures, complete the word puzzle below.

حالا می توانی این کلمه ها را هم بخوانی. از روی هر کلمه سه بار بنویس.

Now you can read these words too. Write each word three times.

دُختَر **/doǩ.tar/** **(DAUGHTER/GIRL)**	ساختمان **/săǩ.te.măn/** **(BUILDING)**	شاخه **/šă.ǩe/** **(BRANCH)**	خُروس **/ǩo.rus/** **(ROOSTER)**
قرمز **/ğer.mez/** **(RED)**	خوب **/ǩub/** **(GOOD)**	رودخانه **/rud.ǩă.ne/** **(RIVER)**	سوراخ **/su.răǩ/** **(HOLE)**
قاشُق **/ğă.šoğ/** **(SPOON)**	کاخ **/kăǩ/** **(PALACE)**	قَشَنگ **/ğa.šang/** **(BEAUTIFUL)**	بُشقاب **/boš.ğăb/** **(PLATE)**
می دِرَخشَد **/mi.de.raǩ.šad/** **(IT SHINES)**	ریخت **/riǩt/** **(HE/SHE POURED...)**	قوری **/ğu.ri/** **(TEA POT)**	اُتاق **/o.tăğ/** **(ROOM)**
سوخت **/suǩt/** **(IT BURNED)**	پُختَم **/poǩ.tam/** **(I COOKED)**	خَریدَم **/ǩa.ri.dam/** **(I BOUGHT...)**	می خوریم **/mi.ǩo.rim/** **(WE EAT...)**
ساخت **/săǩt/** **(HE/SHE BUILT...)**	خیس شُد **/ǩis- šod/** **(IT GOT WET)**	خُشک کَرد **/ǩošk- kard/** **(HE/SHE DRIED...)**	می خَندَم **/mi.ǩan.dam/** **(I LAUGH)**
سَخت **/saǩt/** **(DIFFICULT)**	خَسته **/ǩas.te/** **(TIRED)**	تَخت **/taǩt/** **(BED)**	خاراند **/ǩă.rănd/** **(HE/SHE SCRATCHED...)**

این جمله ها را بخوان و معنی انگلیسی آنها را زیرشان بنویس.

Read these Persian sentences and write their English translations under them.

۱- دَستِ سارا سوخت.

۲- مَن یِک قایِقِ قِرمِزِ خَریدَم.

۳- اُتاقِ تو بُزُرگ اَست.

۴- ما داریم سوپ می خوریم.

۵- کَفشِ سام سوراخ شُد.

LESSON 11

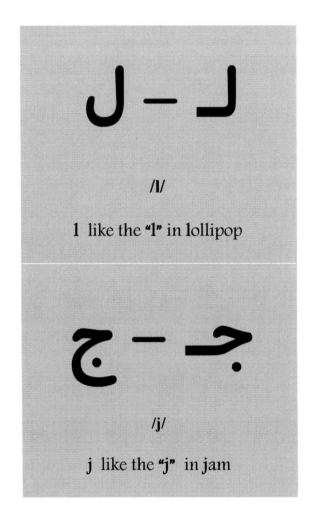

لـ – ل

/l/

l like the "l" in lollipop

جـ – ج

/j/

j like the "j" in jam

حرف زیر را پُررنگ کن و بعد از روی آن چندین بار بنویس.

Trace this letter first, then practice writing it by yourself.

ل - لـ

لـ لـ لـ لـ لـ لـ لـ لـ

ل ل ل ل ل ل ل

حرف زیر را پُررنگ کن و بعد از روی آن چندین بار بنویس.

Trace this letter first, then practice writing it by yourself.

ج - جـ

جـ جـ جـ جـ جـ جـ جـ

ج ج ج ج ج ج ج ج

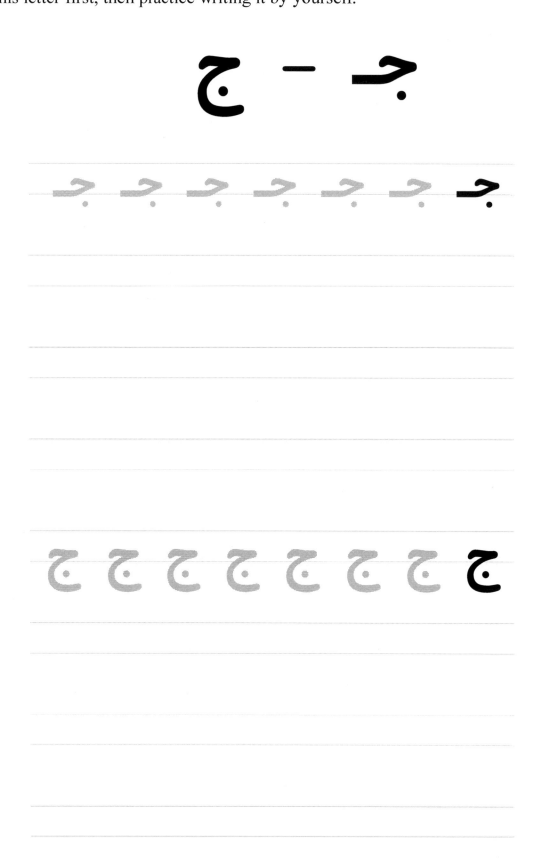

کلمه ی زیر را پُررنگ کن و بعد از روی آن چندین بار بنویس.

Trace this word first, then practice writing it by yourself.

لاکُپشت

/lăk.pošt/

TURTLE

لاکَپشت لاکُپشت لاکُپشت لاکُپشت

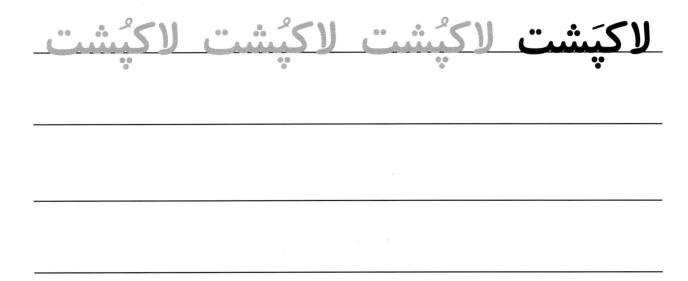

کلمه ی زیر را پُررنگ کن و بعد از روی آن چندین بار بنویس.

Trace this word first, then practice writing it by yourself.

مارمولَک

/mǎr.mu.lak/

LIZARD

مارمولَک مارمولَک مارمولَک مارمولَک

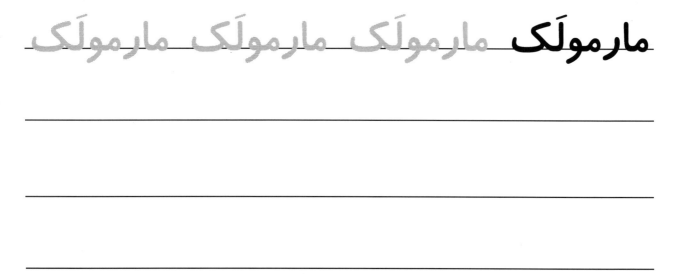

کلمه ی زیر را پُررنگ کن و بعد از روی آن چندین بار بنویس.

Trace this word first, then practice writing it by yourself.

پَنجِره

/pan.je.re/

WINDOW

پَنجِره پَنجِره پَنجِره پَنجِره پَنجِره

کلمه ی زیر را پُررنگ کن و بعد از روی آن چندین بار بنویس.

Trace this word first, then practice writing it by yourself.

جوراب

/ju.răb/

SOCK(S)

جوراب جوراب جوراب جوراب

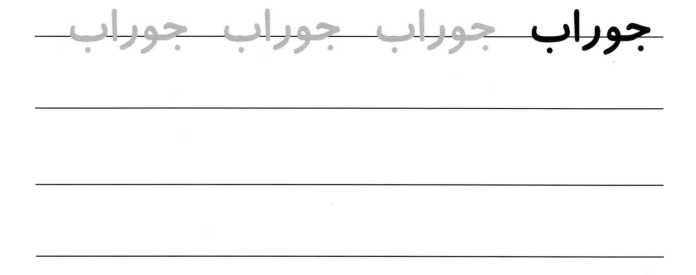

كلمه ى فارسى مناسب براى هر تصوير را كنار آن بنويس. دور كلمه اى را كه حرف « لـ –ل» دارد، دايره بكش.

Write the Persian word for each picture next to it. Circle the word that has a letter with the "L " sound.

_____

_____

_____

با کمک تصویرها، جدول زیر را کامل کن.

With the help of the pictures, complete the word puzzle below.

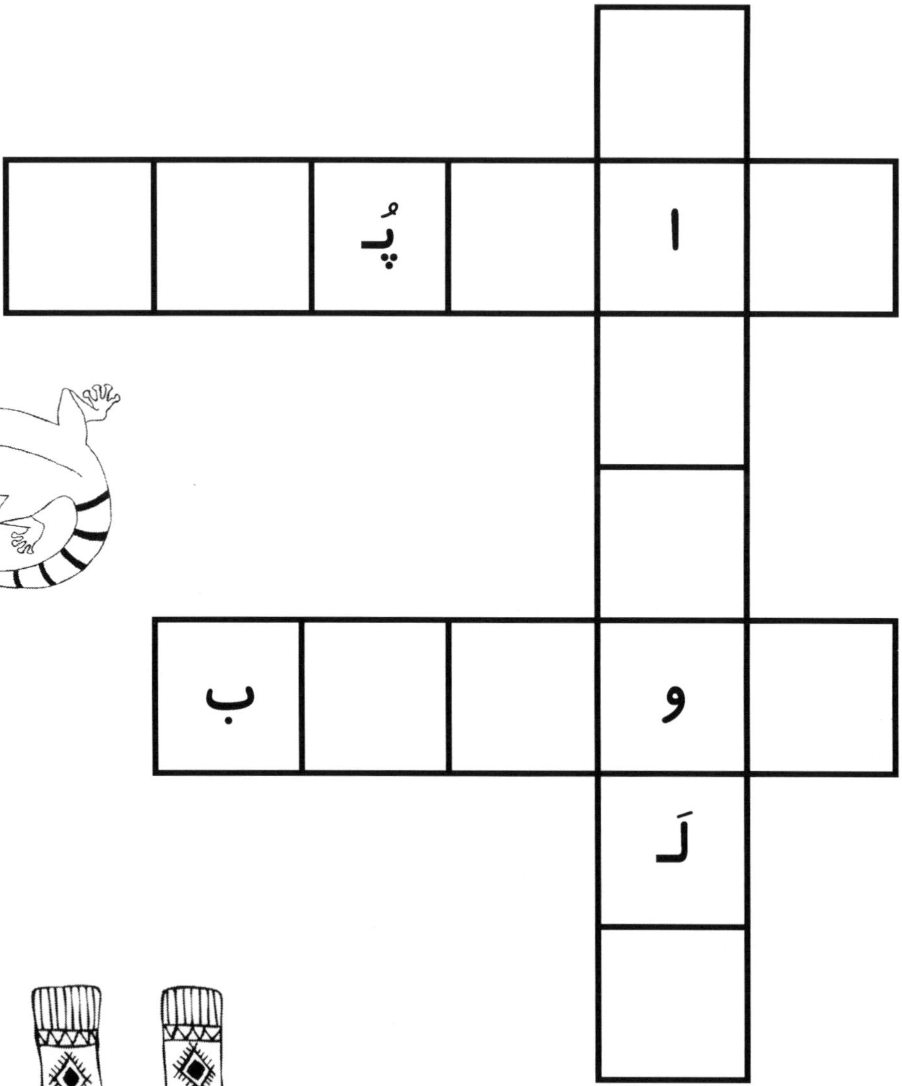

۱۲۹

این تصویر را رنگ کن و کلمه ی فارسی آن را زیرش بنویس.

Color this picture and write its Persian word under it.

حالا می توانی این کلمه ها را هم بخوانی. از روی هر کلمه سه بار بنویس.

Now you can read these words too. Write each word three times.

فیلم **/film/** **(MOVIE)**	**جالِب** **/jă.leb/** **(INTERESTING)**	**جَوان** **/ja.văn/** **(YOUNG)**	**جوجه** **/ju.je/** **(CHICK)**
گُل **/gol/** **(FLOWER)**	**مُبل** **/mobl/** **(SOFA)**	**لِباس** **/le.băs/** **(CLOTHES)**	**لیوان** **/li.văn/** **(CUP/GLASS)**
لیمو **/li.mu/** **(LEMON)**	**سال** **/săl/** **(YEAR)**	**تِلِفُن** **/te.le.fon/** **(TELEPHONE)**	**گُلدان** **/gol.dăn/** **(FLOWERPOT)**
موج **/moj/** **(WAVE)**	**گُلابی** **/go.lă.bi/** **(PEAR)**	**گیلاس** **/gi.lăs/** **(CHERRY)**	**آلبالو** **/ăl.bă.lu/** **(SOUR CHERRY)**
لَرزیدیم **/lar.zi.dim/** **(WE SHIVERED)**	**جَنگیدَند** **/jan.gi.dand/** **(THEY FOUGHT)**	**لیس زَد** **/lis- zad/** **(HE/SHE LICKED...)**	**جَواب دادَم** **/ja.văb- dă.dam/** **(I ANSWERED...)**
بُلَند شُد **/bo.land- šod/** **(HE/SHE GOT UP)**	**کَج شُد** **/kaj- šod/** **(IT BENT)**	**جا گِرِفت** **/jă- ge.reft/** **(IT FIT)**	**می لَنگد** **/mi.lan.gad/** **(HE/SHE LIMP)**
مانِلی **/mă.ne.li/** **(MANELI)**	**مِلودی** **/me.lo.di/** **(MELODY)**	**لِیلا** **/ley.lă/** **(LEILA)**	**جوشید** **/ju.šid/** **(IT BOILED)**

این جمله ها را بخوان و معنی انگلیسی آنها را زیرشان بنویس.

Read these Persian sentences and write their English translations under them.

۱- لِیلا گُل می کارَد.

۲- پِدَر دَر لیوان آب ریخت.

۳- گُربه ی نیکی دَستِ مَن را لیس زَد.

۴- لاکپُشتِ مَن می لَنگد.

۵- ما دیروز یِک فیلمِ جالِب دیدیم.

LESSON 12

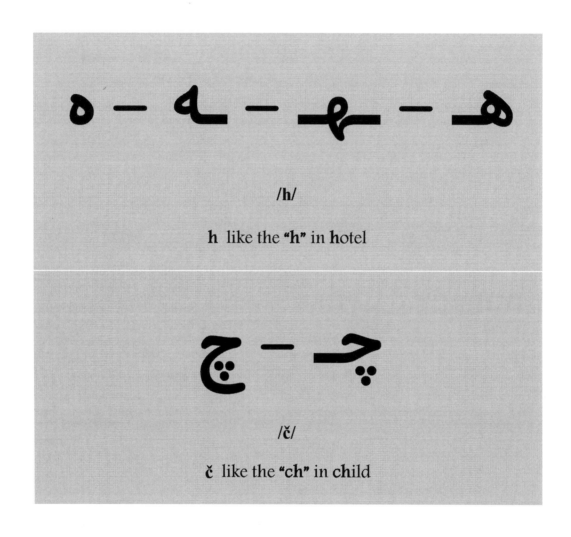

ه - ـه - ـهـ - هـ

/h/

h like the **"h"** in **h**otel

چ - ـچ

/č/

č like the **"ch"** in **ch**ild

حرف زیر را پُررنگ کن و بعد از روی آن چندین بار بنویس.

Trace this letter first, then practice writing it by yourself.

هـ - ـهـ - ـه - ه

هـ هـ هـ هـ هـ هـ هـ

ـهـ ـهـ ـهـ ـهـ ـهـ ـهـ

ـه ـه ـه ـه ـه ـه ـه

ه ه ه ه ه ه ه ه

حرف زیر را پُررنگ کن و بعد از روی آن چندین بار بنویس.

Trace this letter first, then practice writing it by yourself.

چ - چـ

چـ چـ چـ چـ چـ چـ چـ

چ چ چ چ چ چ چ چ

کلمه ی زیر را پُررنگ کن و بعد از روی آن چندین بار بنویس.

Trace this word first, then practice writing it by yourself.

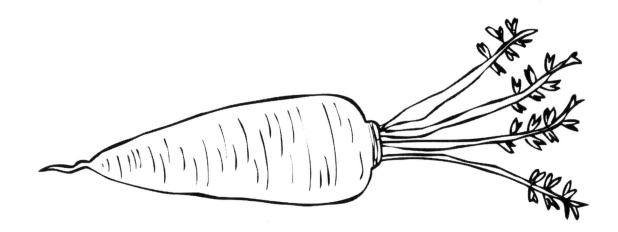

هَویج

/ha.vij/

CARROT

هَویج هَویج هَویج هَویج هَویج

کلمه ی زیر را پُررنگ کن و بعد از روی آن چندین بار بنویس.

Trace this word first, then practice writing it by yourself.

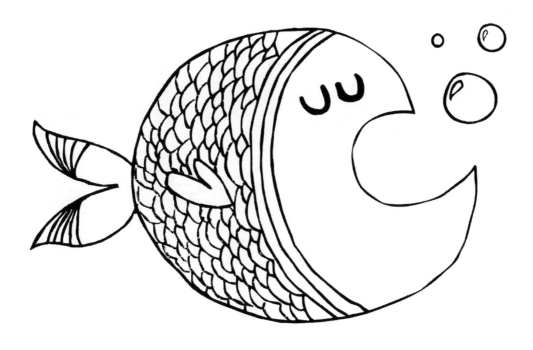

ماهی

/mă.hi/

FISH

ماهی ماهی ماهی ماهی ماهی

کلمه ی زیر را پُررنگ کن و بعد از روی آن چندین بار بنویس.

Trace this word first, then practice writing it by yourself.

چَتر

/čatr/

UMBRELLA

چَتر چَتر چَتر چَتر چَتر

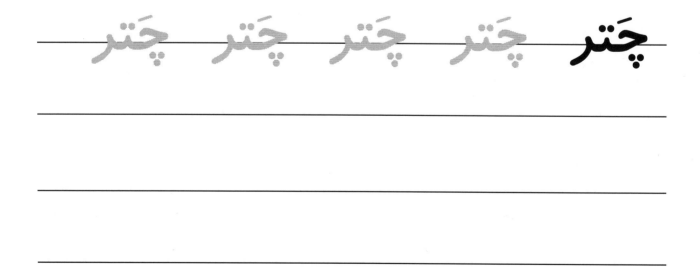

کلمه ی زیر را پُررنگ کن و بعد از روی آن چندین بار بنویس.

Trace this word first, then practice writing it by yourself.

قارچ

/ğărč/

MUSHROOM

قارچ قارچ قارچ قارچ قارچ

کلمه ی زیر را پُررنگ کن و بعد از روی آن چندین بار بنویس.

Trace this word first, then practice writing it by yourself.

چَرخ

/čarǩ/

WHEEL

چَرخ چَرخ چَرخ چَرخ چَرخ چَرخ

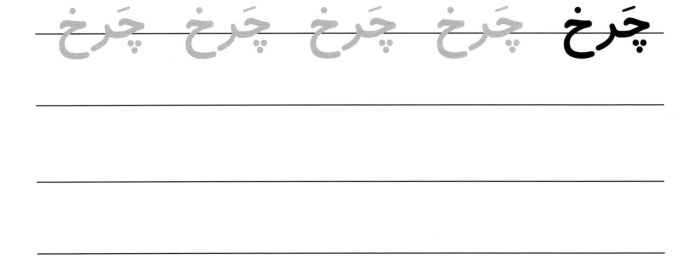

Connect each Persian word to its picture.

هر کلمه ی فارسی را به تصویرش وصل کن.

هَویج

چَتر

چَرخ

قارچ

کلمه ی فارسی این تصویر را زیر آن بنویس، بعد در جدول زیر حرف های آن را پیدا کن و دورشان خط بکش.

Write the Persian word for this picture under it. Then find its letters in the puzzle and circle them.

_____

هَ	ـه	بـ	سـ	رَ	هـ
و	و	رُ	قِ	شـ	و
ج	یـ	شـ	رِ	فِ	سـ
شـ	ج	یـ	و	هَ	چ
تـ	ا	ج	تـ	و	ه

تصویری را که کلمه ی فارسی آن، حرف « چـ - چ » <u>ندارد</u>، پیدا کن و رنگ کن.

Color the picture for which its Persian word does NOT have a letter with the "Ch" sound.

حالا می توانی این کلمه ها را هم بخوانی. از روی هر کلمه سه بار بنویس.

Now you can read these words too. Write each word three times.

چِرا؟ /če.ră/ (WHY?)	کوچه /ku.če/ (ALLEY)	چَنگال /čan.găl/ (FORK)	چای /čăy/ (TEA)
چِه وَقت؟ /če.vağt/ (WHEN?)	هَواپِیما /ha.vă.pey.mă/ (PLANE)	هَفته /haf.te/ (WEEK)	کوچَک /ku.čak/ (SMALL)
سیاه /si.yăh/ (BLACK)	چاقو /čă.ğu/ (KNIFE)	مِهرَبان /meh.ra.băn/ (KIND)	چِه کَسی؟ /če- ka.si/ (WHO?)
چیست؟ /čist/ (WHAT IS ...?)	کوه /kuh/ (MOUNTAIN)	هَمیشه /ha.mi.še/ (ALWAYS)	پُرتِقال /por.te.ğăl/ (ORANGE)
قِیچی /ğey.či/ (SCISSORS)	هَر روز /har- ruz/ (EVERY DAY)	ماه /măh/ (MOON)	چَکمه /čak.me/ (BOOTS)
پِنهان شُد /pen.hăn- šod/ (IT HID ...)	نِگاه کَردَم /ne.găh- kar.dam/ (I LOOKED...)	می چَرخَد /mi.čar.ǩad/ (IT TURNS)	راه می رَوَم /răh- mi.ra.vam/ (I WALK)
ماهان /mă.hăn/ (MAHAN)	مَهتاب /mah.tăb/ (MAHTAB)	هانیه /hă.ni.ye/ (HANIEH)	هاله /hă.le/ (HALEH)

این جمله ها را بخوان و معنی انگلیسی آنها را زیرشان بنویس.

Read these Persian sentences and write their English translations under them.

۱- چه کَسی چَنگالِ مَن را برداشت؟

۲- ماهان هَر روز چَکمه می پوشَد.

۳- ماه پُشتِ کوه پِنهان شُد.

۴- مَن هَمیشه دَر پارک راه می رَوَم.

۵- ما یِک دِرَختِ پُرتِقال داریم.

LESSON 13

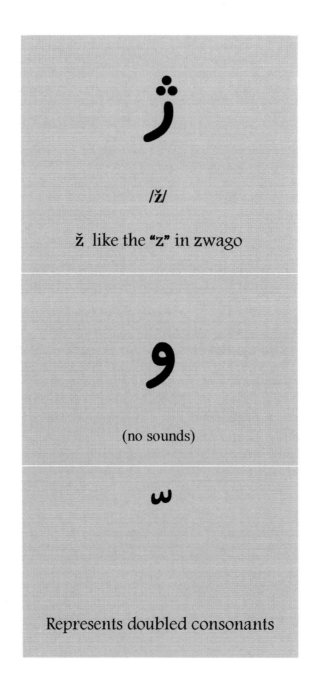

ژ

/ž/

ž like the "z" in zwago

و

(no sounds)

ّ

Represents doubled consonants

حرف زیر را پُررنگ کن و بعد از روی آن چندین بار بنویس.

Trace this letter first, then practice writing it by yourself.

ژ

ژ ژ ژ ژ ژ ژ ژ ژ ژ

حرف زیر را پُررنگ کن و بعد از روی آن چندین بار بنویس.

Trace this letter first, then practice writing it by yourself.

و

(no sound)

و و و و و و و و

حرف زیر را پُررنگ کن و بعد از روی آن چندین بار بنویس.

Trace this letter first, then practice writing it by yourself.

ـس

ـس ـس ـس ـس ـس ـس ـس

کلمه ی زیر را پُررنگ کن و بعد از روی آن چندین بار بنویس.

Trace this word first, then practice writing it by yourself.

اِژدِها

/ež.de.hă/

DRAGON

اِژدِها اِژدِها اِژدِها اِژدِها اِژدِها اِژدِها

کلمه ی زیر را پُررنگ کن و بعد از روی آن چندین بار بنویس.

Trace this word first, then practice writing it by yourself.

خوانَنده

/kă.nan.de/

SINGER

خوانَنده خوانَنده خوانَنده خوانَنده

کلمه ی زیر را پُررنگ کن و بعد از روی آن چندین بار بنویس.

Trace this word first, then practice writing it by yourself.

خُفّاش

/ǩof.făš/

BAT

خُفّاش خُفّاش خُفّاش خُفّاش

کلمه ی زیر را پُررنگ کن و بعد از روی آن چندین بار بنویس.

Trace this word first, then practice writing it by yourself.

زَرّافه

/zar.rǎ.fe/

GIRAFFE

زَرّافه زَرّافه زَرّافه زَرّافه

به این تصویرها نگاه کن. حرف گم شده ی هر کلمه را پیدا کن و آن را در جای مناسبش بنویس.

Look at the pictures. Find the missing letter in each word, then write it in its place.

رّافه ____

اِ ____ دِها

خو ____ نَنده

کلمه ی فارسی این تصویر را زیر آن بنویس، بعد در جدول زیر حرف های آن را پیدا کن و دورشان خط بکش.

Write the Persian word for this picture under it. Then find its letters in the puzzle and circle them.

_____

خُ	ا	ش	ا	عِ	ف
فّ	بـ	قِ	رُ	ک	نَ
ا	نِ	ف	سِ	فُ	خُ
ش	ژ	شـ	قّ	هـ	قّ
ن	بـ	خِ	هـ	ا	ش

حالا می توانی این کلمه ها را هم بخوانی. از روی هر کلمه سه بار بنویس.

Now you can read these words too. Write each word three times.

ماژیک **/mă.žik/** **(MARKER)**	ژاکَت **/žă.kat/** **(SWEATER)**	سکّه **/sek.ke/** **(COIN)**	مُژه **/mo.že/** **(EYE LASHES)**
اَرّه **/ar.re/** **(SAW)**	اَوّل **/av.val/** **(FIRST)**	خواب **/kăb/** **(ASLEEP)**	خواهَر **/kă.har/** **(SISTER)**
بَچّه **/bač.če/** **(CHILD)**	کَفّاش **/kaf.făš/** **(SHOE-MAKER)**	تَوَلُّد **/ta.val.lod/** **(BIRTH)**	نَجّار **/naj.jăr/** **(CARPENTER)**
جادّه **/jăd.de/** **(ROAD)**	بَرّاق **/bar.răğ/** **(SHINY)**	لَکّه **/lak.ke/** **(STAIN)**	تکّه **/tek.ke/** **(PIECE)**
می خوابَم **/mi.kă.bam/** **(I SLEEP)**	خوابید **/kă.bid/** **(HE/SHE SLEPT)**	خواهش **/kă.heš/** **(REQUEST)**	تَشَکُّر **/ta.šak.kor/** **(THANK)**
دُوُّم **/dov.vom/** **(SECOND)**	نَقّاشی می کُنَد **/nağ.ğă.ši- mi.ko.nad/** **(HE/SHE PAINTS...)**	می خوانَد **/mi.kă.nad/** **(HE/SHE READS)**	می خواهَم **/mi.kă.ham/** **(I WANT...)**
بیژَن **/bi.žan/** **(BIJAN)**	مَنیژه **/ma.ni.že/** **(MANIJEH)**	ژیلا **/ži.lă/** **(JILA)**	ژاله **/žă.le/** **(JALEH)**

این جمله ها را بخوان و معنی انگلیسی آنها را زیرشان بنویس.

Read these Persian sentences and write their English translations under them.

۱- بَچّه ها دَر کوچه بازی می کُنَند.

_____

۲- خواهَرَت دارَد کِتاب می خوانَد.

_____

۳- بیژَن خواب اَست.

_____

۴- مَنیژه با ماژیک نَقّاشی می کُنَد.

_____

۵- می خواهَم اَز شُما تَشَکُّر کُنَم.

_____

LESSON 14

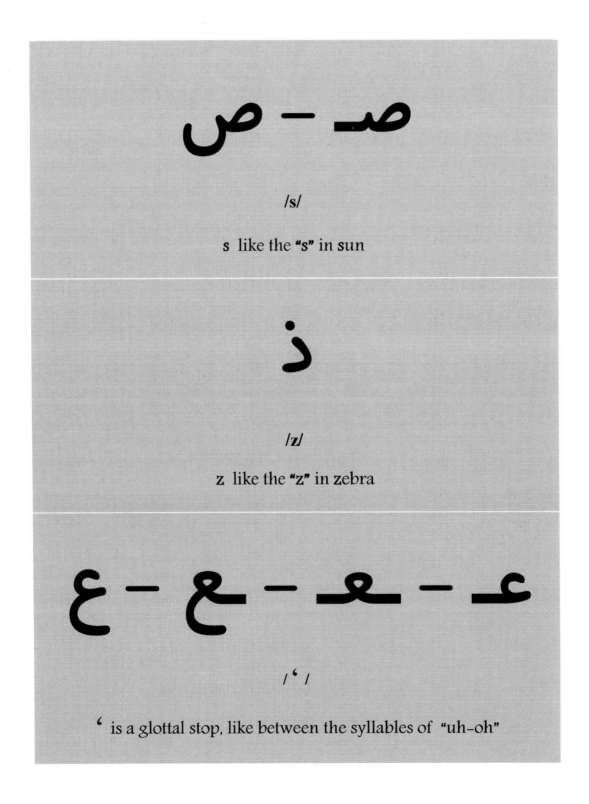

 صــ ص

/s/

s like the "s" in sun

ذ

/z/

z like the "z" in zebra

عــ ـعـ ـع ع

/ʿ/

ʿ is a glottal stop, like between the syllables of "uh-oh"

حرف زیر را پُررنگ کن و بعد از روی آن چندین بار بنویس.

Trace this letter first, then practice writing it by yourself.

صـ - ص

صـ صـ صـ صـ صـ صـ صـ

ص ص ص ص ص ص ص

حرف زیر را پُررنگ کن و بعد از روی آن چندین بار بنویس.

Trace this letter first, then practice writing it by yourself.

ذ

ذ ذ ذ ذ ذ ذ ذ ذ ذ

حرف زیر را پُررنگ کن و بعد از روی آن چندین بار بنویس.

Trace this letter first, then practice writing it by yourself.

ع - ـعـ - ـع - عـ

عـ عـ عـ عـ عـ عـ عـ

ـعـ ـعـ ـعـ ـعـ ـعـ ـعـ

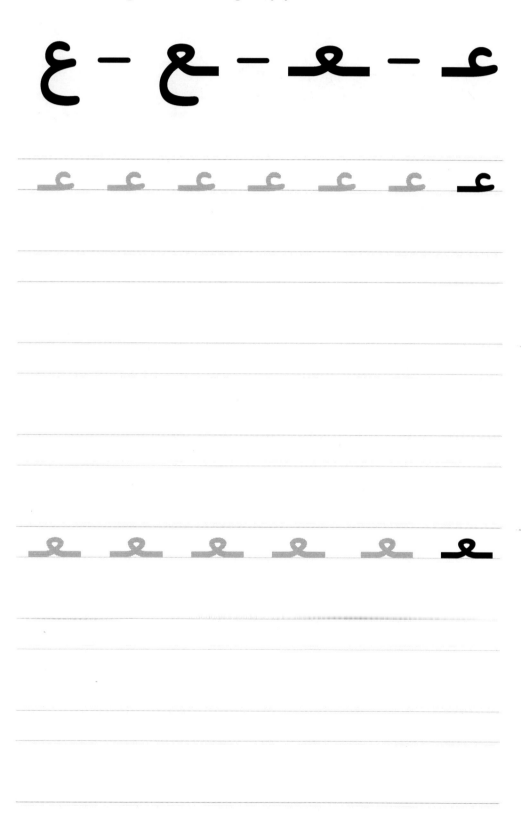

ـع ـع ـع ـع ـع ـع ـع

ع ع ع ع ع ع ع

کلمه ی زیر را پُررنگ کن و بعد از روی آن چندین بار بنویس.

Trace this word first, then practice writing it by yourself.

صَدَف

/sa.daf/

SHELL

صَدَف صَدَف صَدَف صَدَف صَدَف صَدَف

کلمه ی زیر را پُررنگ کن و بعد از روی آن چندین بار بنویس.

Trace this word first, then practice writing it by yourself.

قَصر

/ğasr/

CASTLE

قَصر قَصر قَصر قَصر قَصر قَصر

کلمه ی زیر را پُررنگ کن و بعد از روی آن چندین بار بنویس.

Trace this word first, then practice writing it by yourself.

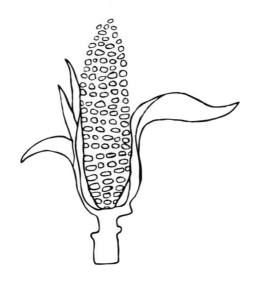

ذُرَّت

/zor.rat/

CORN

ذُرَّت ذُرَّت ذُرَّت ذُرَّت ذُرَّت

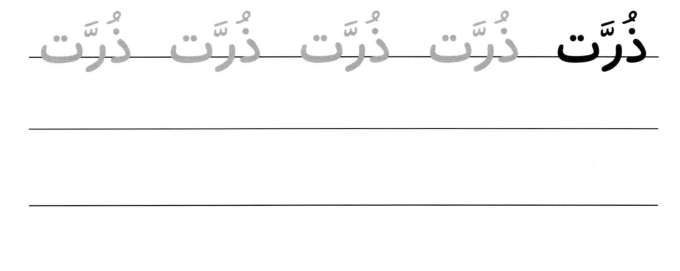

کلمه ی زیر را پُررنگ کن و بعد از روی آن چندین بار بنویس.

Trace this word first, then practice writing it by yourself.

عَروسَک

/'a.ru.sak/

DOLL

عَروسَک عَروسَک عَروسَک عَروسَک

کلمه ی زیر را پُررنگ کن و بعد از روی آن چندین بار بنویس.

Trace this word first, then practice writing it by yourself.

عَسَل

/‘a.sal/

HONEY

عَسَل عَسَل عَسَل عَسَل عَسَل

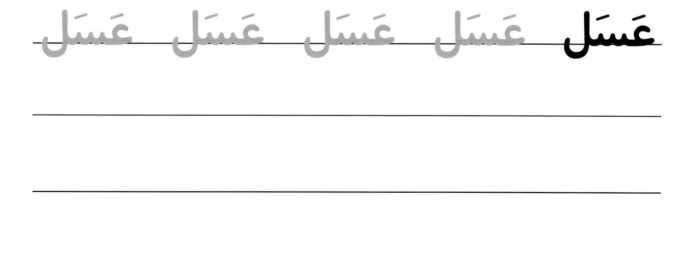

کلمه ی زیر را پُررنگ کن و بعد از روی آن چندین بار بنویس.

Trace this word first, then practice writing it by yourself.

شَمع

/šam‘/

CANDLE

شَمع شَمع شَمع شَمع شَمع

کلمه ی فارسی مناسب برای هر تصویر را کنار آن بنویس. دور کلمه ای را که حرف «ذ» دارد، دایره بکش.

Write the Persian word for each picture next to it. Circle the word that has a letter with the "Z" sound.

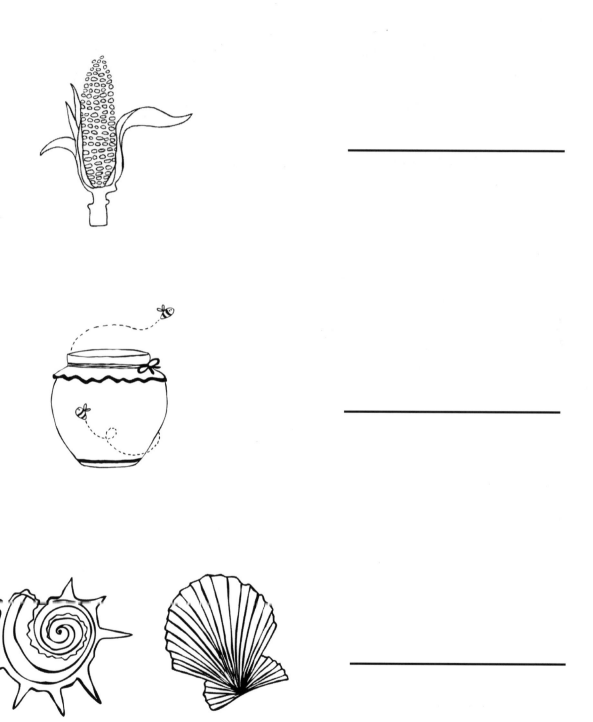

_____

_____

_____

Connect each Persian word to its picture.

هر کلمه‌ی فارسی را به تصویرش وصل کن.

عَسَل

ذُرَّت

عَروسَک

شَمع

تصویری را که کلمه ی فارسی اش حرف «ف – ف» دارد ، پیدا کن و رنگ کن.

Color the picture for which its Persian word has a letter with the "F" sound.

حالا می توانی این کلمه ها را هم بخوانی. از روی هر کلمه سه بار بنویس.

Now you can read these words too. Write each word three times.

عاقِبَت /'ă.ğe.bat/ (FINALLY)	صابون /să.bun/ (SOAP)	عَصا /'a.să/ (CAIN)	عَصر /'asr/ (AFTERNOON)
عِینَک /'ey.nak/ (GLASSES)	صَندَلی /san.da.li/ (CHAIR)	فَصل /fasl/ (SEASON)	صِدا /se.dă/ (SOUND)
بَعد /ba'd/ (THEN)	قِصّه /ğes.se/ (STORY)	عَزیز /'a.ziz/ (DEAR)	ساعَت /să.'at/ (WATCH/CLOCK)
مُعَلِّم /mo.'al.lem/ (TEACHER)	یَعنی /ya'.ni/ (IT MEANS...)	عَمو /'a.mu/ (UNCLE)	عَمّه /'am.me/ (AUNT)
گُذَشته /go.zaš.te/ (PAST)	صَندوق /san.duğ/ (BOX/CHEST)	صورَت /su.rat/ (FACE)	دَعوا /da'.vă/ (FIGHT)
سعی کَردَند /sa'y- kar.dand/ (THEY TRIED)	گُذاشت /go.zăšt/ (HE/SHE PUT...)	شُروع کُن! /šo.ru'- kon/ (START!)	می گُذَرَم /mi.go.za.ram/ (I PASS...)
عَلی /'a.li/ (ALI)	آذَر /ă.zar/ (AZAR)	رَقصیدیم /rağ.si.dim/ (WE DANCED)	صَبر کُنید /sabr- ko.nid/ (WAIT!)

این جمله ها را بخوان و معنی انگلیسی آنها را زیرشان بنویس.

Read these Persian sentences and write their English translations under them.

۱- آذَر دوستِ عَزیزِ مَن اَست.

۲- پِدَربُزُرگَم عَصایَش را زیرِ صَندَلی گُذاشت.

۳- مَن وَ عَلی تا عَصر دَر خانه رَقصیدیم!

۴- عینَکِ عَمویِ مَن شِکَست.

۵- لِباسِ عَمّه اَم دَر باران خیس شُد.

LESSON 15

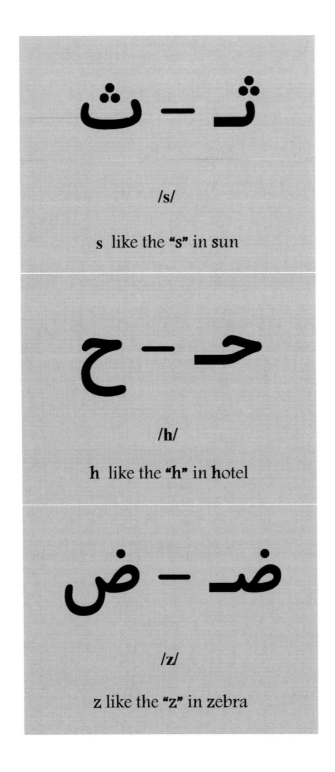

ث ـ ث

/s/

s like the "s" in sun

ح ـ ح

/h/

h like the "h" in hotel

ضـ ـ ض

/z/

z like the "z" in zebra

حرف زیر را پُررنگ کن و بعد از روی آن چندین بار بنویس.

Trace this letter first, then practice writing it by yourself.

ثـ - ث

ثـ ثـ ثـ ثـ ثـ ثـ ثـ ثـ

ث ث ث ث ث ث ث ث

حرف زیر را پُررنگ کن و بعد از روی آن چندین بار بنویس.

Trace this letter first, then practice writing it by yourself.

ح - حـ

حـ حـ حـ حـ حـ حـ حـ

ح ح ح ح ح ح ح ح

حرف زیر را پُررنگ کن و بعد از روی آن چندین بار بنویس.

Trace this letter first, then practice writing it by yourself.

ضـ - ض

ضـ ضـ ضـ ضـ ضـ ضـ ضـ ضـ

ض ض ض ض ض ض ض

کلمه ی زیر را پُررنگ کن و بعد از روی آن چندین بار بنویس.

Trace this word first, then practice writing it by yourself.

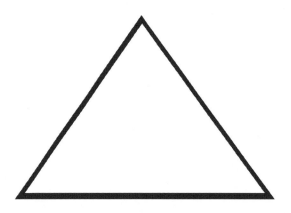

مُثَلَّث

/mo.sal.las/

TRIANGLE

مُثَلَّث مُثَلَّث مُثَلَّث مُثَلَّث مُثَلَّث مُثَلَّث

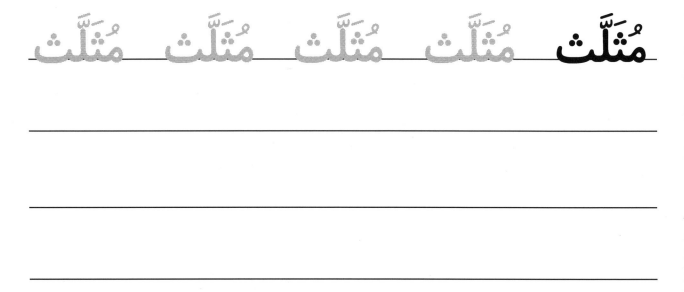

کلمه ی زیر را پُررنگ کن و بعد از روی آن چندین بار بنویس.

Trace this word first, then practice writing it by yourself.

حَلَزون

/ha.la.zun/

SNAIL

حَلَزون حَلَزون حَلَزون حَلَزون

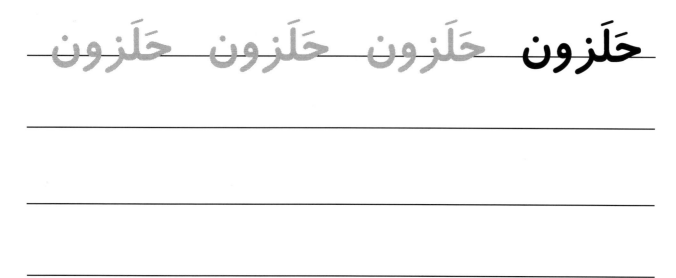

کلمه ی زیر را پُررنگ کن و بعد از روی آن چندین بار بنویس.

Trace this word first, then practice writing it by yourself.

حوله

/ho.le/

TOWEL

حوله حوله حوله حوله حوله

_____

_____

_____

کلمه ی زیر را پُررنگ کن و بعد از روی آن چندین بار بنویس.

Trace this word first, then practice writing it by yourself.

حوض

/hoz/

POND

حوض حوض حوض حوض حوض

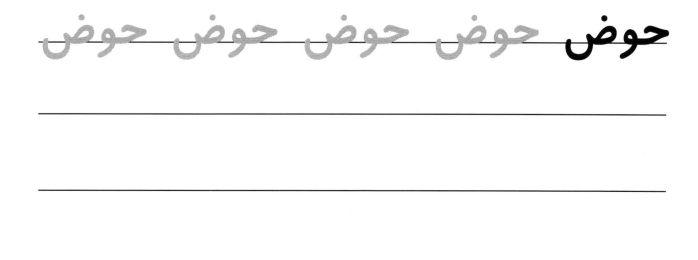

کلمه‌ی فارسی مناسب برای هر تصویر را کنار آن بنویس. دور کلمه‌ای را که حرف «ضـ - ض» دارد، دایره بکش.

Write the Persian word for each picture next to it. Circle the word that has a letter with the "Z" sound.

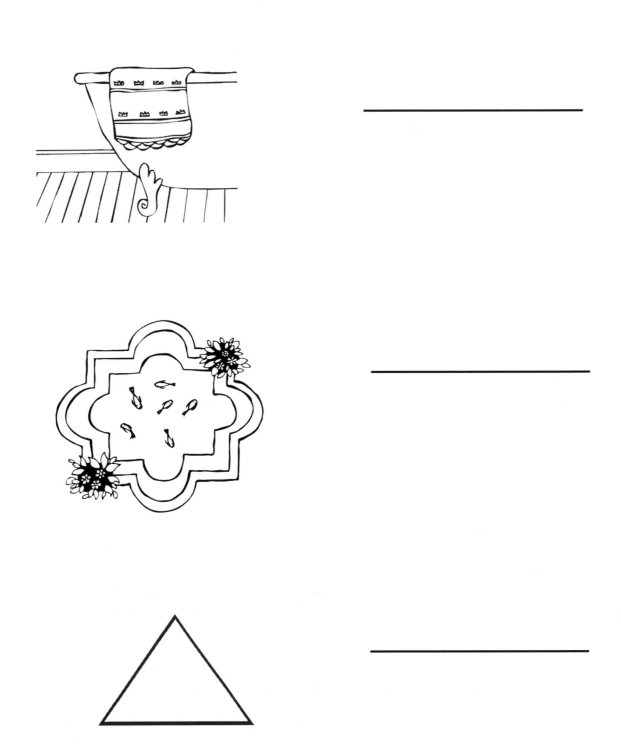

_____

_____

_____

کلمه ی فارسی این تصویر را زیر آن بنویس، بعد در جدول زیر حرف های آن را پیدا کن و دورشان خط بکش.

Write the Persian word for this picture under it. Then find its letters in the puzzle and circle them.

____

حـ	ز	و	ن	ـه	حـ
لـ	و	حَـ	ز	ا	لُـ
ن	حِـ	لَـ	و	تـ	زِ
حَـ	لَـ	ز	و	ن	ا
لـ	بـ	جـ	نـ	ا	ن

حالا می توانی این کلمه ها را هم بخوانی. از روی هر کلمه سه بار بنویس.

Now you can read these words too. Write each word three times.

مثال /me.sǎl/ (EXAMPLE)	ثروتمند /ser.vat.mand/ (WEALTHY)	ثانیه /sǎ.ni.ye/ (SECOND)	مَریض /ma.riz/ (SICK)
صُبح /sobh/ (MORNING)	مَحبوب /mah.bub/ (FAVORITE)	کَثیف /ka.sif/ (DIRTY)	لَثّه /las.se/ (GUM)
حالا /hǎ.lǎ/ (NOW)	مُحکَم /moh.kam/ (HARD/STRONG)	حاضر /hǎ.zer/ (READY)	حیوان /hey.vǎn/ (ANIMAL)
حادثه /hǎ.de.se/ (ACCIDENT)	ساحل /sǎ.hel/ (BEACH)	صَحرا /sah.rǎ/ (DESERT)	صُبحانه /sob.hǎ.ne/ (BREAKFAST)
احتیاج دارَد /eh.ti.yǎj- dǎ.rad/ (HE/SHE NEEDS...)	حَقیقَت /ha.ğı.ğat/ (TRUTH)	مُحَبَّت /mo.hab.bat/ (KINDNESS)	احترام /eh.te.rǎm/ (RESPECT)
صُحبَت کُن! /soh.bat- kon/ (SPEAK !)	حَرف بزَن! /harf- be.zan/ (TALK!)	حَرِکَت کَردَم /ha.re.kat- kar.dam/ (I MOVED)	احساس کَرد /eh.sǎs- kard/ (HE/SHE FELT...)
احسان /eh.sǎn/ (EHSAN)	حسام /he.sǎm/ (HESAM)	حَنا /ha.nǎ/ (HANNAH)	حَمید /ha.mid/ (HAMID)

این جمله ها را بخوان و معنی انگلیسی آنها را زیرشان بنویس.

Read these Persian sentences and write their English translations under them.

۱- مامان به ما صُبحانه داد.

۲- با مُحَبَّت وَ اِحتِرام با مادَرَت حَرف بِزَن!

۳- حوضِ ما پُر از حَلَزون اَست.

۴- این حوله ها کَثیف اَند.

۵- حَمید به یِک دوستِ خوبِ اِحتیاج دارَد.

LESSON 16

ط

/t/

t like the **"t"** in tree

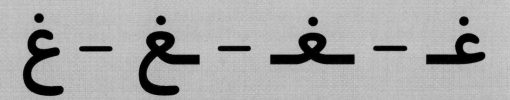

غـ – ـغـ – ـغ – غ

/ğ/

ğ like the **"r "** in the French word *merci*

ظ

/z/

z like the **"z"** in zebra

حرف زیر را پُررنگ کن و بعد از روی آن چندین بار بنویس.

Trace this letter first, then practice writing it by yourself.

ط

ط ط ط ط ط ط ط

حرف زیر را پُررنگ کن و بعد از روی آن چندین بار بنویس.

Trace this letter first, then practice writing it by yourself.

غ - غـ - ـغـ - ـغ

غـ غـ غـ غـ غـ غـ غـ

ـغـ ـغـ ـغـ ـغـ ـغـ ـغـ ـغـ

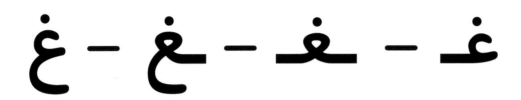

غ غ غ غ غ غ **غ**

غ غ غ غ غ غ **غ**

حرف زیر را پُررنگ کن و بعد از روی آن چندین بار بنویس.

Trace this letter first, then practice writing it by yourself.

ظ

ظ ظ ظ ظ ظ ظ ظ

کلمه ی زیر را پُررنگ کن و بعد از روی آن چندین بار بنویس.

Trace this word first, then practice writing it by yourself.

سَطل

/satl/

BUCKET

سَطل سَطل سَطل سَطل سَطل

کلمه ی زیر را پُررنگ کن و بعد از روی آن چندین بار بنویس.

Trace this word first, then practice writing it by yourself.

شِیطان

/šey.tăn/

DEVIL

شِیطان شِیطان شِیطان شِیطان

کلمه‌ی زیر را پُررنگ کن و بعد از روی آن چندین بار بنویس.

Trace this word first, then practice writing it by yourself.

قورباغه

/ğur.bă.ğe/

FROG

قورباغه قورباغه قورباغه قورباغه

کلمه ی زیر را پُررنگ کن و بعد از روی آن چندین بار بنویس.

Trace this word first, then practice writing it by yourself.

جُغد

/joğd/

OWL

جُغد جُغد جُغد جُغد جُغد جُغد

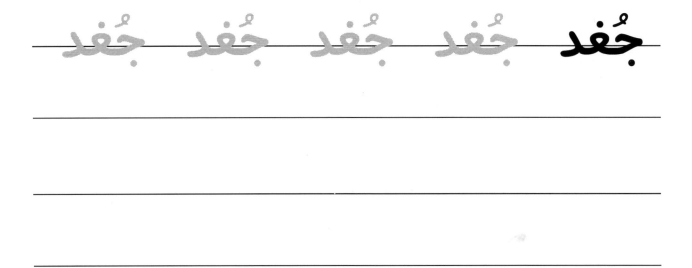

کلمه ی زیر را پُررنگ کن و بعد از روی آن چندین بار بنویس.

Trace this word first, then practice writing it by yourself.

اُلاغ

/o.lăğ/

DONKEY

اَلاغ اَلاغ اُلاغ اُلاغ اُلاغ اُلاغ

کلمه ی زیر را پُررنگ کن و بعد از روی آن چندین بار بنویس.

Trace this word first, then practice writing it by yourself.

ظُروف

/zo.ruf/

DISHES

ظُروف ظُروف ظُروف ظُروف ظُروف

Connect each Persian word to its picture.

هر کلمه ی فارسی را به تصویرش وصل کن.

شِیطان

اُلاغ

جُغد

ظُروف

تصویری را که درکلمه ی فارسی آن، هیچ حرفی نقطه ندارد، پیدا کن و رنگ کن.

Color the picture that has NO letters with dots in its Persian word.

حالا می توانی این کلمه ها را هم بخوانی. از روی هر کلمه سه بار بنویس.

Now you can read these words too. Write each word three times.

غُروب **/ğo.rub/** **(SUNSET)**	کاغَذ **/kă.ğaz/** **(RAZOR BLADE)**	غار **/ğăr/** **(CAVE)**	باغ **/băğ/** **(GARDEN)**
چِراغ **/če.răğ/** **(LIGHT)**	کَلاغ **/ka.lăğ/** **(CROW)**	نُقطه **/noğ.te/** **(PERIOD)**	مَنظَره **/man.za.re/** **(VIEW)**
طَناب **/ta.năb/** **(ROPE)**	مُرغابی **/mor.ğă.bi/** **(DUCK)**	وَسَط **/va.sat/** **(MIDDLE)**	مُرغ **/morğ/** **(CHICKEN)**
غَمگین **/ğam.gin/** **(SAD)**	مَغرور **/mağ.rur/** **(ARROGANT)**	خَط **/ǩat/** **(LINE)**	طوطی **/tu.ti/** **(PARROT)**
داغ **/dăğ/** **(HOT)**	ظَریف **/za.rif/** **(DELICATE)**	خُداحافِظ **/ǩo.dă.hă.fez/** **(GOODBYE)**	حَیاط **/ha.yăt/** **(YARD)**
مُنتَظِر ماند **/mon.ta.zer- mănd/** **(HE/SHE WAITED)**	جیغ زَدی **/jiğ- za.di/** **(YOU SCREAMED)**	طُلوع **/to.lu'/** **(SUNRISE)**	غُصّه **/ğos.se/** **(SADNESS)**
تَغییر کَردَم **/tağ.yir- kar.dam/** **(I CHANGED)**	حِفظ کَردَند **/hefz- kar.dand/** **(THEY PRESERVED...)**	مُواظِب باش! **/mo.vă.zeb- băš/** **(BE CAREFUL!)**	ضَبط کُن **/zabt- kon/** **(RECORD !)**

این جمله ها را بخوان و معنی انگلیسی آنها را زیرشان بنویس.

Read these Persian sentences and write their English translations under them.

۱ – ما دَر حیاطِ مان مُرغ وَ خُروس داریم.

۲– چِرا مُعَلِّمِ ما اَز ما خُداحافِظی نَکَرد؟

۳– مَن طُلوع وَ غُروبِ خورشید را دوست دارَم.

۴– بَرادَرَم دَر باغ مُنتَظِر ماند.

۵– مُواظِب باش! سوپ داغ اَست!

حالا که تمام حروف الفبای فارسی را یاد گرفته ای، این داستان بامزه را هم می توانی بخوانی!

Now that you have learned all the Persian letters, you can read this funny story too!

«قصّه ی اَرّه»

روزی مُلاّ نَصرِالّدین* دَر حَیاطِ خانه اَش نِشَسته بود وَ داشت چای می خورد که شِنید دارَند دَر می زَنَند. مُلاّ بُلَند شُد و رَفت دَرِ خانه را باز کَرد. دید چَندتا اَز دوستانَش آنجا ایستاده اَند وَ صَندوقی دَر دَستِ شان اَست.

مُلاّ پُرسید: « تویِ صَندوق چه دارید؟ »

دوستانِ مُلاّ دَرِ صَندوق را باز کَردَند. اَرّه ی کوچَکی را اَز صَندوق بیرون آوَردَند، آن را به مُلاّ نِشان دادَند وَ اَز او پُرسیدند: «مُلاّ ! می تَوانی به ما بِگویی این چیست؟»

مُلاّ خوب به اَرّه نِگاه کَرد. بَعد فِکر کَرد و فِکر کَرد و فِکر کرد تا عاقِبَت با خَنده گُفت:

«دوستانِ عَزیزَم! مَن خوب می دانَم این چیست. این بَچّه چاقویی اَست که تازه دَندان دَرآورده اَست!»

* Molla Nasreddin is a character who appears in thousands of funny stories. He is sometimes wise, often foolish, but always witty. He manages to make you laugh!

Names of Persian Letters

alef	آ – ا
be	ب – بـ
pe	پ – پـ
te	ت – تـ
se	ث – ثـ
jim	ج – جـ
če	چ – چـ
he	ح – حـ
ǩe	خ – خـ
dǎl	د
zǎl	ذ
re	ر
ze	ز
že	ژ
sin	س – سـ
šin	ش – شـ
sǎd	ص – صـ
zǎd	ض – ضـ
tǎ	ط

ză	ظ
eyn	ع – ع – ع – ع
ğeyn	غ – غ – غ – غ
fe	ف – ف
ğăf	ق – ق
kăf	ک – ک
găf	گ – گ
lăm	ل – ل
mim	م – م
noon	ن – ن
văv	و
he	ه – ه – ه – ه
ye	ی – ی

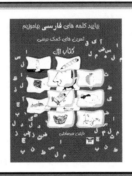
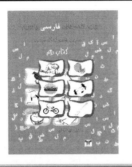
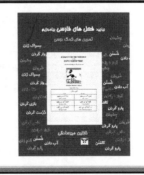
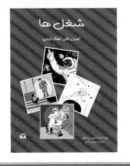

برای آشنایی با سایر کتاب های «نشر بهار» از وب سایت این انتشارات دیدن فرمائید.

To learn more about other publications by Bahar Books
please visit our website.

Bahar Books

www.baharbooks.com